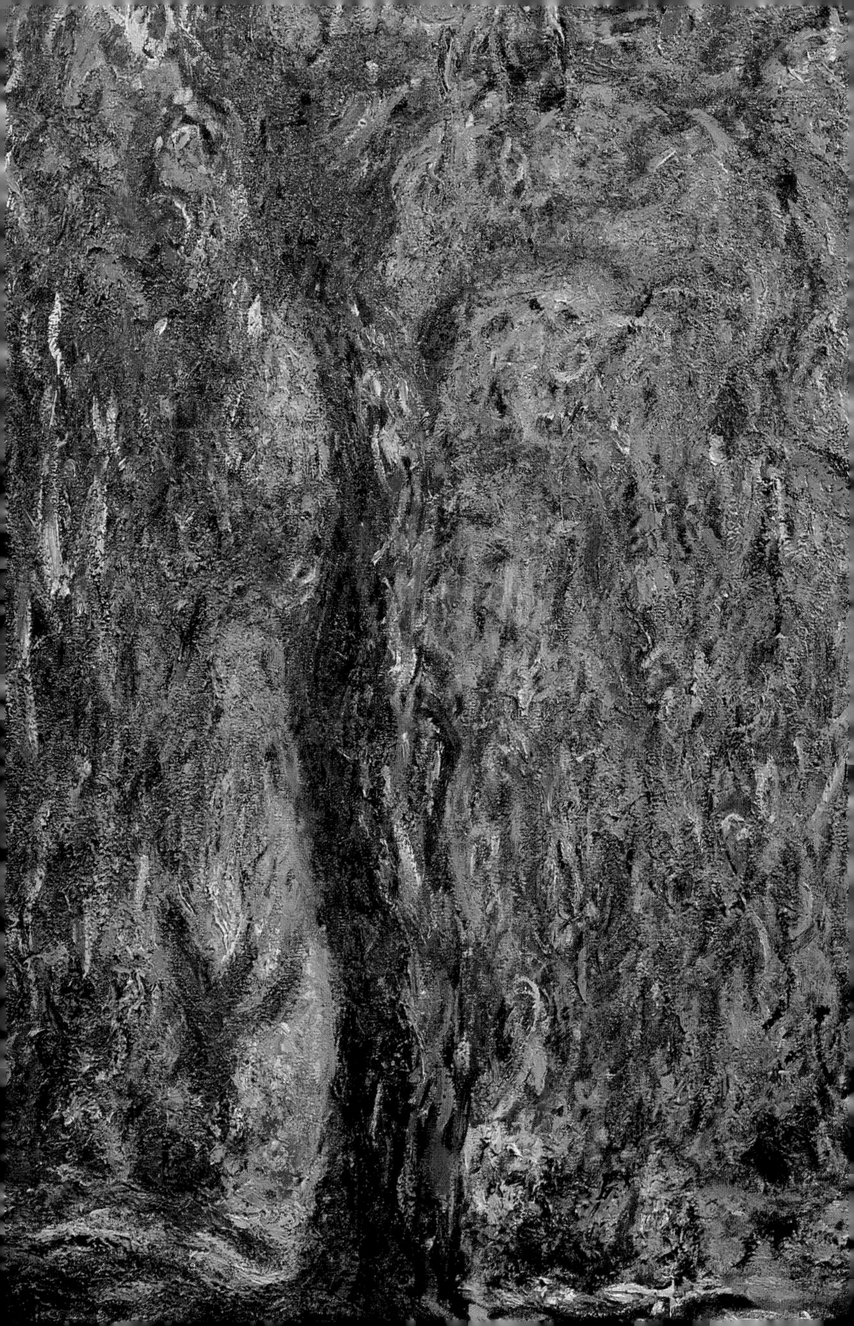

Sylvie Gache-Patin, conservateur en chef au musée d'Orsay, s'intéressait déjà à l'impressionnisme lorsque, à l'issue de ses études, elle choisit d'effectuer un stage au musée Marmottan. Nommée aux musées du Jeu de Paume et de l'Orangerie, puis au musée d'Orsay, elle a contribué aux expositions internationales suivantes : «Centenaire de l'impressionnisme» (1974), «Cézanne, les dernières années» (1978), «Cézanne, les années de jeunesse» (1988), «Monet en Norvège» (1995). Elle fut l'un des commissaires des expositions «Hommage à Monet» (1980), «L'Impressionnisme et le paysage français» (1985) au Grand Palais, «Monet-Rodin» (1989) au musée Rodin, «Sisley» (1992) au musée d'Orsay, «Les *Cathédrales* de Monet» (1994) au musée des Beaux-Arts de Rouen. Elle a publié en 1994 *Monet en Grande-Bretagne* (Hazan).

A Louis-Gabriel et à Sophie

1er dépôt légal : novembre 1991
Dépôt légal : février 2001
Numéro d'édition : 1511
ISBN : 2-07-053154-6
Imprimé en Italie par Editoriale Lloyd

MONET

«UN ŒIL... MAIS, BON DIEU, QUEL ŒIL!»

Sylvie Patin

DÉCOUVERTES GALLIMARD
RÉUNION DES MUSÉES NATIONAUX
PEINTURE

« Il nous faut ici écrire un nom nouveau. Nous ne connaissions pas M. Claude Monet; le goût des colorations harmonieuses, le sentiment des valeurs, l'aspect saisissant de l'ensemble, une manière hardie de voir les choses et de s'imposer à l'attention du spectateur, ce sont là des qualités que M. Monet possède déjà à un haut degré; nous ne l'oublierons plus.»

Paul Mantz, «Le Salon de 1865»

CHAPITRE PREMIER

«SI JE SUIS DEVENU UN PEINTRE, C'EST À BOUDIN QUE JE LE DOIS»

Au Salon de 1865, les toiles de Monet ont pour sujet *La Pointe de la Hève* et *L'Embouchure de la Seine à Honfleur*. Deux ans plus tard, l'artiste peint toujours la mer et les voiliers, cette fois-ci vus depuis *La Plage de Sainte-Adresse* (à gauche).

Le 14 novembre 1840 naît à Paris au 45, rue Laffitte, dans le IXe arrondissement, un second fils chez Adolphe et Louise-Justine Monet, tous deux Parisiens depuis la génération précédente. Baptisé sous le nom d'Oscar-Claude à Notre-Dame-de-Lorette, l'enfant est appelé Oscar par ses parents. Ses premières années sont placées sous le signe de la musique grâce au talent de chanteuse de sa mère. Quant à son père, ses activités (le négoce?) ne peuvent être précisées avec certitude.

Une naissance parisienne, mais une enfance et une adolescence au Havre : les premières «impressions» sont vécues le long des jetées devant le spectacle des voiliers.

Vers 1845, Adolphe Monet s'installe au Havre avec sa femme, ses enfants et ses propres parents, probablement attiré dans la région par sa demi-sœur Marie-Jeanne Lecadre, épouse d'un «épicier en gros» qui accueille son beau-frère dans sa maison de commerce. Cette tante accompagnera de sa bienveillance le jeune Oscar durant son adolescence.

Le 1er avril 1851, Oscar Monet entre au collège communal du Havre : «J'étais un indiscipliné de naissance, on n'a jamais pu me plier, même dans ma petite enfance, à une règle. [...] Le collège m'a toujours fait l'effet d'une prison et je n'ai jamais pu me résoudre à y vivre même quatre heures par jour», avouera plus tard Monet. Dans les annales du collège, il apparaît comme une «excellente nature très sympathique à ses condisciples».

Le talent précoce de Monet s'exerce dans la caricature aux dépens de ses concitoyens havrais.

Parallèlement au portrait-charge qu'il pratique spontanément, le jeune garçon suit l'enseignement du professeur de dessin Ochard, ancien élève de David. Ses premiers dessins (datés, pour certains, de 1857) sont des caricatures de personnages, des croquis de bateaux et de paysages révélant déjà son goût du plein air, «quand le soleil était invitant, la mer belle et qu'il faisait si bon courir sur les falaises».

1857 : la première grande rupture

Le 28 janvier, la mère d'Oscar meurt. Il a alors seize ans et abandonne ses études. La «tante Lecadre», devenue en 1858 veuve sans enfants, accueille son neveu dans son atelier de peinture – elle est liée au peintre Amand Gautier – tout en le laissant continuer à apprendre le dessin.

Monet vend ses caricatures signées *O. Monet* chez un papetier-encadreur et marchand de couleurs, où elles côtoient les tableaux d'Eugène Boudin, ancien associé du propriétaire. «C'était chez un marchand de cadres où j'exposais fréquemment de ces charges qui m'avaient valu quelque notoriété dans Le Havre et même un peu d'argent. Je trouvai là Eugène Boudin qui, âgé d'environ trente ans, commençait à dégager sa personnalité. [...] Sur ses instances, j'acceptai d'aller travailler en plein air avec lui : j'achetai une boîte de peinture et nous voilà partis pour Rouelles [au nord-est du Havre]. [...] Boudin installe son chevalet et se met au travail. [...] Ce fut tout à coup comme un voile qui se déchire : j'avais compris, j'avais saisi ce que pouvait être la peinture; [...] ma destinée de peintre s'était ouverte. Si je suis devenu un peintre, c'est à Eugène Boudin que je le dois», confiera Monet en 1922 à G. Jean-Aubry. «Boudin, avec une inépuisable bonté, entreprit mon

“ J'enguirlandais la marge de mes livres, je décorais le papier bleu de mes cahiers d'ornements ultrafantaisistes, et j'y représentais, de la façon la plus irrévérencieuse, en les déformant le plus possible, la face ou le profil de mes maîtres. ”

A Thiébault-Sisson, 1900

éducation. Mes yeux, à la longue, s'ouvrirent, et je compris la nature; j'appris en même temps à l'aimer.» Le résultat de ces «leçons» : une *Vue prise à Rouelles*, signée *O. Monet*, proche des paysages de Boudin, et qui figure à l'exposition municipale du Havre en août-septembre 1858.

A Paris : Troyon et l'académie Suisse

Ce dessin, exécuté vers 1856-1857, montre la tour François Ier et le sémaphore à l'entrée du port du Havre.

Les demandes de bourse adressées par Adolphe Monet à la Ville du Havre pour que son fils étudie la peinture à Paris lui sont refusées. C'est donc grâce au soutien de son père – peut-être rendu compréhensif par sa tante – que Monet part en avril 1859 pour la capitale. Ses premières visites sont pour les peintres Amand Gautier et Troyon; ce dernier lui donne de précieux conseils : «Commencez par entrer dans un atelier où l'on ne fait que de la figure, des académies : apprenez à dessiner. [...] Pourtant ne négligez pas la peinture. [...] Faites quelques copies au Louvre. Venez me voir souvent : montrez-moi ce que vous ferez.» Au Salon officiel de 1859, Monet observe les œuvres des exposants (Troyon, Daubigny, Corot, Delacroix, Théodore Rousseau) et lance un appel à Boudin qui laisse pressentir l'attrait que lui-même éprouvera toujours pour la mer : «Il n'y a pas une marine d'un peu passable. Isabey a fait une horrible machine. [...] En somme, les peintres de marines manquent totalement et c'est pour vous un chemin qui vous mènerait loin» (3 juin). A cette époque, Monet travaille à l'académie Suisse (du nom de son fondateur) où il fait probablement la connaissance de Pissarro.

L'expérience algérienne

Au Salon, Monet a également remarqué «une masse de tableaux d'Orient qui sont magnifiques; il y a dans

A gauche, dessin de Monet représentant Boudin occupé à dessiner en plein air (vers 1857).

Cette *Vue prise à Rouelles*, datée par Monet de 1858, illustre la dette de l'artiste envers Boudin : «Je m'intéressais à la peinture claire qui était celle de Boudin. [...] J'en étais arrivé à être fasciné par ses pochades, filles de ce que j'appelle l'instantanéité» (à Gustave Geffroy, 8 mai 1920). Celui que Corot surnomme le «roi des ciels» l'incite à regarder la nature.

tous ces tableaux de la grandeur, une lumière chaude» (à Boudin, 3 juin 1859). Cette admiration explique-t-elle en partie l'engagement volontaire du jeune homme, en guise de conscription, au premier régiment de chasseurs d'Afrique ? Il rejoint ce corps en Algérie en juin 1861 et avouera plus tard : «Combien ma vision y gagna. [...] Les impressions de lumière et de couleurs que je reçus là-bas ne

devaient que plus tard se classer ; mais le germe de mes recherches futures y était.»

Retrouvant Le Havre et Sainte-Adresse pour l'été 1862, Monet s'y lie avec le peintre hollandais Jongkind. «Il fut à partir de ce moment mon vrai maître, et c'est à lui que je dus l'éducation définitive de mon œil.» C'est peut-être Jongkind qui incite la tante Lecadre à exaucer le souhait de son neveu : ne pas regagner l'Algérie à la fin des vacances. Plus rien désormais ne viendra contrarier la vocation de Monet pour la peinture; il est alors âgé de vingt-deux ans.

«J'ai trouvé ici mille charmes auxquels je n'ai pu résister», reconnaît Monet dès son premier séjour à Chailly, en 1863. A plusieurs reprises, il peint la route qui relie le village à Fontainebleau : *Le Pavé de Chailly* (ci-dessus); cette version daterait de 1865.

L'atelier parisien de Gleyre et le premier séjour à Chailly-en-Bière

Le peintre Toulmouche, médaillé au Salon de 1861, et allié aux Lecadre, se voit confier la mission de surveiller le travail de l'artiste à Paris. Sur sa recommandation, ce dernier entre à l'automne 1862 dans l'atelier de Charles Gleyre, peintre d'origine suisse devenu célèbre depuis son succès au Salon de 1843 avec *Le Soir ou Les Illusions perdues*. Monet semble bien accepter la direction de cet homme peu autoritaire.

En mars 1863, le jeune Bazille – il travaille aussi chez Gleyre –, s'adressant à son père, cite Monet comme l'un de ses «meilleurs camarades parmi les rapins»; ensemble, ils partent à Chailly-en-Bière, et Bazille écrit à sa mère : «Je suis allé passer huit jours au petit village de Chailly près de la forêt de Fontainebleau. J'étais avec mon ami Monet, du Havre, qui est assez fort en paysage, il m'a donné des conseils qui m'ont beaucoup aidé.» Monet prolonge son séjour seul; ayant regagné la capitale, il visite probablement le Salon officiel et le Salon des Refusés, où l'événement est constitué par le *Déjeuner sur l'herbe* de Manet.

L'été, Monet se rend au Havre tandis que Bazille rejoint Montpellier. De retour à Paris, les deux amis apprennent que la fermeture de l'atelier est envisagée car Gleyre est malade. Monet, le premier, quitte l'atelier; Bazille, Renoir et Sisley suivent son exemple.

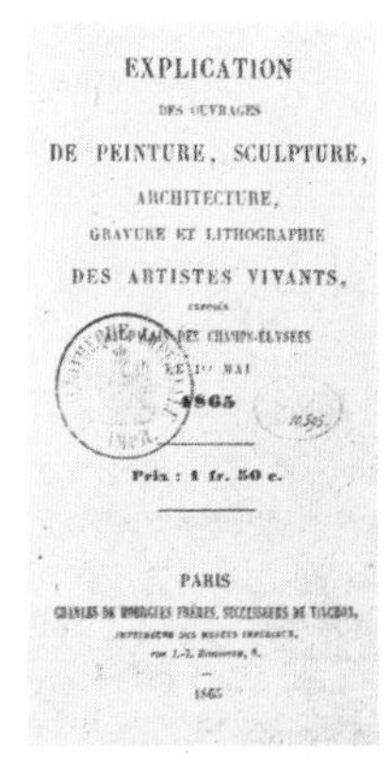

EXPLICATION

DES OUVRAGES

DE PEINTURE, SCULPTURE,

ARCHITECTURE,

GRAVURE ET LITHOGRAPHIE

DES ARTISTES VIVANTS,

DES CHAMPS-ÉLYSÉES

MAI

1865

Prix : 1 fr. 50 c.

PARIS

Un extraordinaire chef-d'œuvre de jeunesse

En mai 1864, Bazille et Monet séjournent en Normandie : Rouen, Honfleur – ils fréquentent l'auberge Saint-Siméon – et Sainte-Adresse. Après le départ de Bazille, Monet reste à Honfleur, d'où il lui écrit son enthousiasme le 15 juillet : «Ici, mon cher, c'est adorable, et je découvre tous les jours des choses toujours plus belles. C'est à en devenir fou, tellement j'ai envie de tout faire. [...] Je me propose des choses épatantes.»

A la fin de l'année, Monet rentre à Paris, où Bazille l'invite à venir travailler dans son atelier du 6, rue de Furstenberg. Le jury du Salon de 1865 accepte deux paysages du peintre havrais, qui connaît alors son premier succès officiel : il est remarqué par le critique Paul Mantz (*Gazette des Beaux-Arts*, juillet 1865).

De retour à Chailly au printemps 1865, Monet reprend sa correspondance avec Bazille : «C'est

Le Déjeuner sur l'herbe de Manet est exposé au Salon des Refusés de 1863 : l'inspiration traditionnelle, puisée dans les pastorales et bacchanales des maîtres anciens, avec des emprunts au Titien, à Giorgone et à Raphaël, s'efface derrière l'audace adoptée pour cette composition «moderne» où Manet fait voisiner un nu féminin avec des hommes habillés. Deux ans plus tard, Monet choisit de répondre dans un style tout à fait différent.

admirable la campagne, arrivez vite.» Dans les premiers jours de mai, il lui annonce son projet d'entreprendre une immense composition (4,60 m sur plus de 6 m), un *Déjeuner sur l'herbe* : «J'ai bien envie que vous soyez là : je voudrais avoir votre avis sur le choix de mon paysage pour mes figures.» Au cours de l'été, il rappelle à son ami : «Vous m'avez bien promis de m'aider pour mon tableau, vous devez venir me poser quelques figures et, sans cela, je manque mon tableau; aussi j'espère que vous tiendrez votre promesse.» L'artiste travaille sur place à des études préparatoires, puis, en automne, se lance dans l'exécution du tableau dans son atelier parisien : «Je procédais, comme chacun alors, par petites études sur nature et je composais l'ensemble dans mon atelier» (au duc de Trévise, 1920). L'œuvre reste inachevée : c'est sans doute à la suite des critiques de Courbet, venu voir la toile, que Monet renonce à présenter ce chef-d'œuvre de jeunesse au Salon de 1866. Et le grand format (inspiré par les «grandes machines» de Courbet) n'est pas significatif de la peinture de plein air; l'avenir est dans les toiles transportables sur le motif.

«Je ne pense plus qu'à mon tableau, et, si je savais le manquer, je crois que j'en deviendrais fou» : Monet évoque à Bazille *Le Déjeuner sur l'herbe* qu'il entreprend en 1865, et dont subsistent seulement deux grands fragments (ci-dessous). L'étude préparatoire (en haut, à droite), de dimensions plus réduites, permet d'avoir une idée d'ensemble de l'immense composition originelle. En bas de page, une esquisse dessinée.

Des figures de la vie quotidienne, représentées grandeur nature, évoluent dans l'atmosphère lumineuse d'un sous-bois ensoleillé. La scène, restituée selon une vision quasi photographique, est traitée avec une apparente instantanéité. Bazille a posé pour plusieurs personnages, et Courbet pourrait être l'homme barbu assis devant la magnifique nature morte du premier plan.

Camille* ou la *Femme à la robe verte

Monet se met rapidement au travail pour être présent au Salon de 1866. Après avoir quitté, comme Bazille, l'atelier de la rue de Furstenberg, il peint une figure grandeur nature, la *Femme à la robe verte*. Son modèle, la jeune Camille Doncieux, deviendra sa première épouse. Le tableau est exposé sous le titre de *Camille* avec un paysage de Chailly; il est remarqué par les critiques, dont certains se livrent à des jeux de mots sur les noms «Manet-Monet», ce qui aurait amené Zacharie Astruc à mettre les deux artistes en présence afin de dissiper tout malentendu.

Après la *Femme à la robe verte,* peinte en intérieur, Monet souhaitera traiter à nouveau les figures dans un paysage.

«Je suis venu me retirer dans une petite maison près de Ville-d'Avray»

L'artiste s'installe à Sèvres d'où il écrit à Amand Gautier le 22 mai : «Je suis de plus en plus heureux; j'avais pris le parti de me retirer à la campagne; je travaille beaucoup, avec plus de courage que jamais. Mon succès du Salon m'a fait vendre plusieurs toiles.» Et il fait creuser une tranchée dans son jardin pour descendre et monter une grande toile, les *Femmes au jardin*. Cette œuvre suit Monet jusqu'à Honfleur, où il passe l'été et une partie de l'hiver. Le peintre Dubourg la mentionne dans une lettre adressée à Boudin le 2 février 1867 depuis le port normand : «Monet est toujours ici, travaillant à d'énormes toiles. [...] Il a une toile de près de trois mètres de haut sur une largeur en proportion : les figures sont un peu plus petites que nature, ce sont des femmes en grande toilette, cueillant des fleurs dans un jardin, toile commencée sur nature et en plein air.»

Camille, la compagne du peintre, lui sert à nouveau de modèle pour les *Femmes au jardin* (1867, page de gauche) où elle se trouve debout à l'extrême gauche; elle est reconnaissable à sa mèche de cheveux devant l'oreille, un détail présent sur la *Femme à la robe verte*. La toile des *Femmes au jardin* est refusée au Salon de 1867, mais Zola s'en souvient un an plus tard.

“ Un tableau de figures [*Femmes au jardin*], des femmes en toilettes claires d'été, cueillant des fleurs dans les allées d'un jardin; le soleil tombait droit sur les jupes d'une blancheur éclatante; l'ombre tiède d'un arbre découpait sur les allées, sur les robes ensoleillées, une grande nappe grise. Rien de plus étrange comme effet... ”

Emile Zola,
L'Evénement illustré,
24 mai 1868

Dans les premiers mois de 1867, Monet est accueilli par Bazille au 20, rue Visconti, où se trouve également Renoir. Au printemps, Monet et Renoir travaillent ensemble à des vues de la capitale. Refusée par le jury du Salon de 1867, la composition des *Femmes au jardin* est acquise par Bazille en janvier 1868 pour la somme de 2 500 francs, selon un paiement mensuel de 50 francs à verser à son ami.

«Je suis au sein de la famille, aussi bien que possible»

«On est charmant pour moi et voilà que l'on admire chaque coup de brosse», confie-t-il à Bazille le 25 juin 1867 depuis Sainte-Adresse. Et il ajoute : «Je me suis taillé beaucoup de besogne, j'ai une vingtaine de toiles en bon train, des marines étourdissantes et des figures et des jardins, et de tout enfin.» Monet travaille alors à *La Terrasse à Sainte-Adresse*, toile dans laquelle s'unissent les thèmes de la mer et des jardins et qui annonce l'impressionnisme.

Les lettres de Monet révèlent «la plus grande inquiétude à propos de Camille», enceinte et restée seule à Paris, car elle n'est pas reçue par la famille du Havre. Le 8 août 1867, Camille met au monde le petit Jean. Quatre jours plus tard, Monet sollicite la générosité de Bazille, choisi pour parrain de l'enfant, «un gros et beau garçon que malgré tout et je ne sais comment, je me sens aimer, et je souffre de penser que sa mère n'a pas de quoi manger».

Après un bref passage à Paris au cours de l'hiver, où il abandonne à nouveau Camille, Monet exécute au Havre des marines destinées au Salon de 1868 : une seule y est admise, grâce à Daubigny.

Les premières marines de Monet restituent souvent un élément en furie. L'écume des vagues de la *Grosse Mer à Etretat* (vers 1868-1869, ci-dessus) assaille la falaise d'Aval, et des silhouettes à contre-jour regardent la tempête. Au centre, *Falaises*, crayon sur papier (vers 1865).

L'audacieuse mise en page de *La Vague verte* (1865, page de gauche) évoque les estampes japonaises.

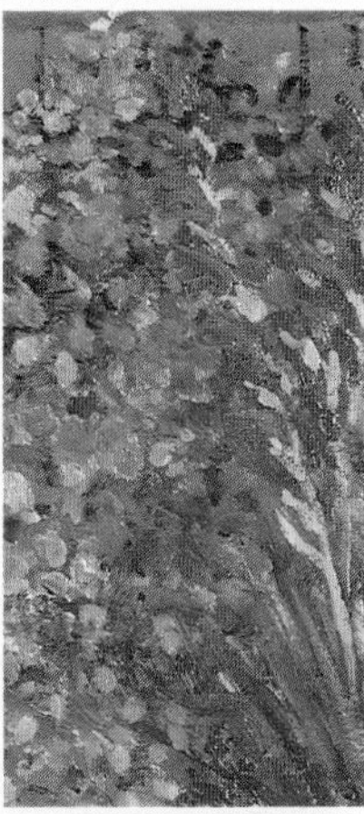

Sous le soleil et les drapeaux qui claquent au vent en haut des mâts, *La Terrasse à Sainte-Adresse* (1867) accueille les proches de l'artiste : son père (assis), peut-être vue de dos la tante Lecadre et, au centre, se profilant sur l'eau, une cousine éloignée, Jeanne-Marguerite Lecadre, accompagnée d'un homme (non identifié). Monet restitue ici l'atmosphère de la côte, où le soleil intense a pour effet d'aplatir les formes plutôt que de les modeler. Les accessoires contribuent à illustrer cette mise en scène de la vie estivale en bord de mer : toilettes féminines claires, ombrelles, canotiers, fauteuils d'osier. Des voiliers – l'un d'entre eux s'impose au regard – passent, portés par une mer d'une couleur bleu-vert, tandis qu'à l'horizon se découpent des bateaux à vapeur et toutes sortes d'embarcations qui voguent au large. Dans cette vision resplendissante d'un moment de bonheur en famille, au milieu des fleurs se détachant sur l'eau et des jeux d'ombre et de lumière, est scellée avec virtuosité l'alliance entre les motifs qui ont la faveur du peintre : «des marines étourdissantes et des figures et des jardins» (à Bazille, Sainte-Adresse, 25 juin 1867).

❝ Je vais dans la campagne qui est si belle ici, que je trouve peut-être plus agréable encore l'hiver que l'été. ❞

A Bazille, Etretat, décembre 1868

Cet «effet de neige» spectaculaire semble alors relever d'un défi : le peintre se serait joué de la gamme de blancs différemment colorés pour exprimer la densité de la matière et l'atmosphère lumineuse de ce paysage hivernal où se détache la note noire de *La Pie* (ci-contre et détails à gauche en bas et à droite).

Entre Le Havre, Etretat et Paris...

Probablement sur la recommandation de Zola, Monet s'installe pour le printemps 1868 à l'auberge de Gloton à Bennecourt, près de Bonnières-sur-Seine, avec Camille et Jean. Le 29 juin, il écrit à Bazille : «Je pars ce soir [...] pour le Havre, voir à tenter quelque chose auprès de mon amateur. [...] Ma famille ne veut plus rien faire pour moi.» L'amateur havrais est M. Gaudibert, qui lui fait notamment exécuter le portrait de son épouse.

Au Havre, cinq toiles sont présentées à l'«Exposition maritime internationale», à laquelle participent également Vollon, Corot, Courbet, Boudin. Le jury de l'exposition, dont fait partie Ochard, l'ancien professeur du peintre, lui décerne la médaille d'argent. Courbet lui fait connaître Alexandre Dumas.

En août, Camille et Jean s'installent à Fécamp, à l'écart de la famille Monet. Les lettres adressées à Bazille se font pressantes; Monet lui demande

encore des envois d'argent, sans hésiter à faire appel aux sentiments : «Pensez à ma position, un enfant malade, et pas la moindre ressource» (6 août 1868). Malgré son succès à l'exposition, il continue à se plaindre : «La peinture ne va pas, et décidément je ne compte plus sur la gloire. [...] Je vois tout en noir. Avec cela, l'argent manque toujours. Déceptions, affronts, espérances, redéceptions, voilà, mon cher ami» (à Bazille, octobre-novembre 1868). En décembre, à Etretat, l'ardeur revient : «Je suis ici entouré de tout ce que j'aime. [...] Le soir, mon cher ami, je trouve dans ma petite maisonnette un bon feu et une bonne petite famille. Si vous voyiez votre filleul, comme il est gentil à présent. Mon cher, c'est ravissant de voir pousser ce petit être, et, ma foi, je suis bien heureux de l'avoir. Je vais le peindre pour le Salon.» Témoignent de cette période heureuse des vues d'Etretat et le célèbre paysage de neige, *La Pie*. Mais, au Salon de 1869, Monet essuie un nouveau refus.

A gauche de la *Route sous la neige à Honfleur* (vers 1867), apparaît le toit de la ferme où se retrouvent les peintres : «Je suis toujours à St-Siméon, on y est si heureux, [...] nous avons un petit cercle bien agréable» (à Bazille, 26 août 1864).

«Un objet d'art qui n'a pas de cote»

En juin 1869, Monet habite le hameau de Saint-Michel à Bougival : «Je suis dans de très bonnes conditions et plein de courage pour travailler, mais, hélas, ce fatal refus me retire presque le pain de la bouche et, malgré mes prix bien peu élevés, marchands et amateurs me tournent le dos. Cela surtout est attristant de voir le peu d'intérêt qu'on porte à un objet d'art qui n'a pas de cote», écrit-il au directeur de la revue *L'Artiste*, Arsène Houssaye, qui lui a acheté la «*Femme verte*» (comme l'appelle Monet lui-même).

Des plaintes pathétiques sont adressées à Bazille : «Depuis huit jours pas de

pain, [...] pas de feu pour la cuisine, pas de lumière» (Saint-Michel, 9 août). Renoir, qui réside près de Louveciennes, lui apporte son soutien. «Je ne puis peindre, n'ayant ombre de couleurs» (à Bazille, 25 août). Pour Monet et Renoir, c'est à nouveau l'expérience du chevalet planté côte à côte, cette fois-ci devant l'établissement de bains et «café flottant» de *La Grenouillère*. Monet travaille aussi aux alentours : Marly, Louveciennes, Bougival, dans cette région qui sera appelée le «berceau de l'impressionnisme». Malgré le soutien de Millet et Daubigny au jury du Salon de 1870, ses envois – notamment *La Grenouillère* – sont refusés, ce qui provoque un grand bruit parmi les critiques.

Le 28 juin 1870, Monet épouse Camille Doncieux à la mairie du VIIIe arrondissement, à Paris; Courbet est au nombre des témoins. Quelques jours plus tard, le 7 juillet, meurt à Sainte-Adresse la chère tante Lecadre. L'été se passe à Trouville, où le peintre

Pour peindre *La Grenouillère* (en photo ci-dessus), Monet (à gauche, en haut) prend plus de recul que Renoir (en bas) et privilégie l'eau par rapport aux figures.

Le chemin de fer permet aux citadins de fuir la ville pour quelques heures et de partir se promener dans les environs de la capitale. Les wagons à impériale, avec leurs amusantes silhouettes se profilant sur le ciel, situent *Le Train dans la campagne* (vers 1870, ci-contre et détail ci-dessous) sur la ligne de Paris à Saint-Germain-en-Laye.

travaille sur la plage et représente *L'Hôtel des Roches noires*. C'est là qu'il apprend, le 19 juillet 1870, la déclaration de la guerre franco-prussienne. Le 18 novembre, Bazille meurt sur le champ de bataille à Beaune-la-Rolande. Afin d'éviter l'enrôlement, Monet décide de fuir en bateau pour l'Angleterre, où il est rejoint par Camille et Jean.

A Londres : «Voilà un homme qui sera plus fort que nous tous... Achetez»

C'est en ces termes que Daubigny aurait présenté Monet à celui qui allait devenir le marchand et fidèle soutien des impressionnistes : Paul Durand-Ruel. Cette rencontre, qui a lieu outre-Manche, est donc un événement d'importance : une toile de Monet figure à

« Dans les champs, Claude Monet préférera un parc anglais à un coin de forêt. Il se plaît à retrouver partout la trace de l'homme, il veut vivre toujours au milieu de nous. Comme un vrai Parisien, il emmène Paris à la campagne, il ne peut peindre un paysage sans y mettre des messieurs et des dames en toilette. La nature paraît perdre de son intérêt pour lui, dès qu'elle ne porte pas l'empreinte de nos mœurs. »

Emile Zola, *L'Evénement illustré*, 24 mai 1868

la première exposition annuelle de Durand-Ruel à Londres, en décembre 1870. L'année suivante, le marchand commence à lui acheter ses toiles.

Avec Pissarro, également en Angleterre, Monet visite les musées londoniens, s'intéressant aux paysagistes de l'école anglaise (Constable et surtout Turner). Tous deux présentent des toiles à l'«Exposition internationale des beaux-arts» qui s'ouvre le 1er mai 1871 à Kensington. A la fin du mois, Monet quitte l'Angleterre.

Le retour se fait par la Hollande. «Certes, ce que j'en ai vu m'a paru beaucoup plus beau que ce que l'on dit» (à Pissarro, Zaandam, 2 juin 1871). Inspiré par les maisons, les moulins et les bateaux, il ajoute le 17 juin : «Je commence à être dans le feu du travail et n'ai guère de temps.» Comme à Londres, il visite les musées, et notamment le Rijksmuseum. Enfin, à l'automne, il regagne Paris.

Au cours de son premier séjour londonien, outre une très belle vue du *Parlement avec la Tamise*, Monet peint quelques toiles qui rappellent son intérêt pour les jardins : ci-dessus, un aperçu sur *Green Park*. Le format allongé de la composition, traitée comme une esquisse et ponctuée de petites figures sombres, aide à suggérer l'immensité de ces plages de verdure que constituent, en plein cœur de Londres, les parcs anglais.

Claude Monet

« Nous voyons souvent Monet, chez lequel nous avons pendu la crémaillère ces jours-ci : il est fort bien installé et paraît avoir une forte envie de se faire une position et je crois qu'il est appelé à prendre une des premières places dans notre école. »

Eugène Boudin, 2 janvier 1872

CHAPITRE II

ARGENTEUIL, L'APOGÉE DE L'IMPRESSIONNISME

Dans les champs où éclatent les notes rouges des *Coquelicots* (1873) disséminés parmi les herbes, Camille Monet et le petit Jean se promènent. Ce paysage de campagne aux environs d'Argenteuil, éclairé par le soleil, est l'une des toiles qui représentent l'artiste à la première exposition impressionniste de 1874.

«Maison Aubry près l'hospice, Porte St-Denis à Argenteuil»

Telle est l'adresse que Monet communique à Pissarro le 21 décembre 1871, tout en précisant : «Nous sommes en plein coup de feu d'emménagement.» La maison (probablement indiquée par Manet) est proche de la Seine, source de motifs pour Monet qui s'intéresse aux voiliers, aux remorqueurs, au célèbre bassin d'Argenteuil avec sa promenade, ainsi qu'au pont de chemin de fer et au pont routier à péage, en cours de reconstruction depuis la guerre de 1870.

L'artiste continue cependant à peindre les fleurs et travaille dans son jardin. Au printemps 1872, il y poursuit ses recherches d'insertion de la figure humaine dans le paysage en prenant souvent Camille et leur fils Jean comme modèles. Alors qu'à Sainte-Adresse il avait représenté le jardin de la famille Lecadre sous deux angles différents (*Jardin en fleurs* et *Jeanne-Marguerite Lecadre au jardin*), ici à Argenteuil, c'est la même partie du jardin (un massif de lilas) qui est retenue à deux reprises par l'œil du peintre, mais par des temps contrastés : ne serait-ce pas là l'origine la plus lointaine du procédé des «séries» qui caractérisera la production du peintre dans les années 1890? Outre la Seine et son jardin, Monet se plaît à représenter également la campagne d'Argenteuil et les coteaux de Sannois.

«Monet [...] paraît satisfait de son sort, malgré la résistance qu'il éprouve à faire admettre sa peinture»,

Lilas temps gris (à gauche et détail ci-dessous) et *Lilas au soleil* (ci-dessus à droite) : deux titres choisis par l'artiste pour ces premiers essais, au printemps 1872, d'un travail sur le même motif avec des variations d'éclairage.

❝ Ses paysages sont illuminés par le soleil. [...] Il faudrait évoquer [...] entre autres la femme en blanc, assise à l'ombre du feuillage, et dont la robe est parsemée d'éclats de lumière, comme par de grosses gouttes. ❞

Emile Zola, *Le Messager de l'Europe*, juin 1876

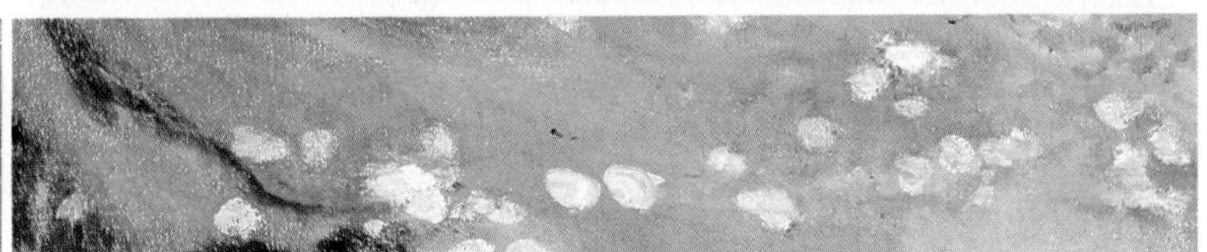

constate Boudin le 12 décembre 1872. L'année 1872 est féconde en ce qui regarde la production artistique et les finances : trente-huit toiles vendues, dont une à son frère Léon, une à Manet, cinq au marchand Latouche et surtout vingt-neuf à Durand-Ruel, soit une somme totale de 12 100 francs d'après les carnets de comptes de Monet qui, avec les registres de la maison Durand-Ruel, constituent de précieuses sources d'informations.

L'année suivante, les profits du peintre doublent. Le prix moyen d'une toile passe à 750 francs; Durand-Ruel est encore au premier rang des acheteurs. La première génération des amateurs de Monet compte les frères Albert et Henri Hecht,

Ce sont toujours ses recherches sur l'insertion de la figure humaine dans le paysage que poursuit Monet lorsqu'il peint, vers 1872-1874, *La Liseuse* (Camille?). Traitée comme une esquisse et gardant ainsi la force de l'impression première, la toile fait le bonheur de Zola à la «2e exposition impressionniste» de 1876.

SOCIÉTÉ ANONYME
DES ARTISTES PEINTRES, SCULPTEURS, GRAVEURS, ETC.

banquiers, et le critique Théodore Duret, auteur des *Peintres impressionnistes*, brochure parue dès 1878. Fort de son succès, l'artiste n'hésite pas à se montrer exigeant en affaires.

En 1873, Monet retrouve la Normandie, où il exécute des vues d'Etretat, de Sainte-Adresse et du port du Havre. Bien que datée «*72*», la toile devenue célèbre sous le titre d'*Impression, soleil levant* serait à rattacher à ce séjour.

1874 : la première exposition impressionniste

Ayant tiré la leçon de ses refus successifs aux Salons de 1869 et 1870, le peintre renonce désormais à affronter le jury, comme d'ailleurs Pissarro et Sisley. L'idée d'organiser une exposition indépendante du Salon – elle avait vu le jour en 1867 pour être aussitôt abandonnée par Bazille, Monet et leurs amis en raison des difficultés matérielles – renaît : «Tout le monde trouve cela bien, il n'y a que Manet contre» (à Pissarro, 22 avril 1873). Dans une lettre adressée le 7 mai à Paul Alexis, Monet évoque «la Société que nous sommes en train de former», tandis que le 30 novembre de la même année, il précise à Pissarro : «Je n'oublie pas la société, je fais ce que je peux.» De même que Pissarro, Degas et Renoir, il ne ménage pas sa peine.

Après plusieurs remaniements dans la mise au point du statut, au cours desquels Monet semble avoir joué un rôle de conciliateur, une «Société anonyme coopérative des artistes-peintres, sculpteurs, graveurs, etc.», composée de trente membres, est

« J'avais envoyé une chose faite au Havre, du soleil dans la buée et quelques mâts de navires pointant. [...] On me demande le titre pour le catalogue; [...] je répondis : «Mettez *Impression*». »

Monet
cité par M. Guillemot,
La Revue illustrée,
15 mars 1898

L'Expositio

«– Que représente cette toile? Voyez au livret. *Impression, soleil levant* [page de droite]. – *Impression*, j'en étais sûr. Je me disais aussi, puisque je suis impressionné, il doit y avoir de l'impression là-dedans.» Ce dialogue moqueur, imaginé par le critique Louis Leroy dans *Le Charivari* du 25 avril 1874, serait à l'origine du mot «impressionnisme».

«Monsieur le peintre impressionniste – à la Morgue!

mise en place le 17 janvier 1874. Leur première exposition se tient du 15 avril au 15 mai dans les locaux appartenant au photographe Nadar au 35, boulevard des Capucines.

Le catalogue comprend cent soixante-cinq numéros sous les noms de Boudin, Bracquemond, Cézanne, Degas, Guillaumin, Lépine, Berthe Morisot, Pissarro, Renoir, Sisley… Certains exposants sont également présents au Salon officiel qui s'ouvre quinze jours plus tard (Astruc, Boudin, Latouche, Lépine). Les œuvres de Monet occupent les numéros 95 à 103 (avec parfois deux croquis sous le même numéro); les peintures exposées sont les *Coquelicots*, une marine du Havre, une vue du *Boulevard des Capucines*, la scène d'intérieur avec Camille et le petit Jean (le *Déjeuner*, 1868) refusée au Salon de 1870 – une réponse ici au jugement défavorable du jury? – et surtout l'*Impression, soleil levant*.

es Révoltés

La critique se déchaîne et Monet est le moins épargné du groupe. Dans *Le Charivari* du 25 avril, Louis Leroy intitule son article «L'Exposition des impressionnistes» tandis que, dans *La Presse* du 29 avril, Emile Cardon parle d'«Ecole de l'impression». Plus indulgent, Armand Silvestre, dans *L'Opinion nationale* du 22 avril, s'intéresse à «la vision des choses» selon Monet, Pissarro et Sisley, et glisse ce commentaire : «C'est un effet d'impression qu'elle poursuit uniquement, laissant la recherche de l'expression aux passionnés de la ligne.»

En décembre, la Société est dissoute – mais les expositions reprendront à partir de 1876.

avez vous appris votre art?

Dans le jardin de la première maison habitée par Monet à Argenteuil, à l'issue du *Déjeuner* (vers 1873-1874), Jean Monet, le fils du peintre, reste seul, perdu dans ses jeux, tandis qu'à l'arrière-plan apparaissent deux figures féminines dont les robes claires se détachent dans le feuillage. Cette toile lumineuse laisse transparaître un sentiment d'aisance. Chaque détail, en apparence anecdotique, concourt à exprimer un certain art de vivre à la campagne : la profusion des fleurs, la séduction des toilettes, la blancheur de la nappe, la disposition des mets avec en particulier la coupe de fruits, la vaisselle raffinée (cafetière et tasses). Se glisse toutefois une étrange impression due au fait que le repas est fini : c'est précisément ce moment que l'artiste choisit de peindre; la table a été délaissée, l'ombrelle abandonnée sur le banc, le chapeau oublié à la branche d'arbre, d'où l'atmosphère énigmatique d'un bonheur enfui. Cette composition, d'un format exceptionnel pour la période d'Argenteuil (1,60 x 2,01), figure à la «2e exposition impressionniste» de 1876 sous le titre de *Panneau décoratif*.

Témoin de la vie quotidienne de son ami, Manet représente *La Famille Monet au jardin* (1874, en haut) : une composition avec, à l'arrière-plan, Monet se livrant au jardinage; lignes et harmonies colorées y sont soigneusement travaillées. Retenant seulement *Mme Monet et son fils* (ci-contre), Renoir, en «impressionniste», se laisse emporter par la spontanéité de sa vision.

Les moments heureux de l'aventure impressionniste

Après la tension suscitée par l'exposition, une pause bien méritée est marquée par Monet à Argenteuil, où le rejoignent souvent ses amis. La Seine, avec ses ponts et les régates de voiliers, constitue toujours un sujet de prédilection pour les peintres, mais la ville d'Argenteuil n'en est pas pour autant oubliée *(La Grand-Rue)*. Manet, qui contribue aux dépenses du foyer, peint *La Famille Monet au jardin,* tandis que

Renoir exécute une toile représentant *Mme Monet et son fils* au même endroit. Au cours d'une grande campagne de peinture menée en solitaire, Monet s'intéresse aux paysages d'hiver (*La Locomotive* ou *Le Train dans la neige*, 1875).

A l'automne 1874, le peintre déménage pour le «2, boulevard St-Denis, en face la gare, maison rose à volets verts», préfigurant sa future habitation à Giverny. Le jardin apparaît dans son œuvre en 1875. Il y sera encore davantage présent l'année suivante.

Les beaux jours du printemps 1875 ramènent aussi Monet sur la rive du Petit-Gennevilliers et dans les prés fleuris que parcourent Camille et Jean.

«Quoique j'aie foi dans l'avenir, le présent est bien pénible» (à Manet, 28 juin 1875)

Durand-Ruel ayant à restreindre puis à suspendre provisoirement ses achats, Monet doit compter sur de nouveaux amateurs de l'impressionnisme dont les noms apparaissent dans ses carnets; il s'agit notamment du baryton Jean-Baptiste Faure et du négociant en tissus Ernest Hoschedé, collectionneur passionné qui, dès mai 1874, achète l'*Impression* au prix exceptionnel de 800 francs. Cependant, en 1874, les gains de l'artiste (10 554 francs) sont en nette régression par rapport à ceux de l'année précédente. Sollicité à plusieurs reprises en 1875 – «ma boîte à couleurs sera longtemps fermée à présent, si je ne puis me tirer d'affaire» –, Manet répond avec fidélité en consentant des avances d'argent à son ami, comme le faisait auparavant Bazille.

Si les qualités de Manet coloriste sont évidentes dans *La Famille Monet*, la précision des contours rappelle que le peintre sait être un grand dessinateur : un talent qu'il exerce avec cette *Tête de Monet* (lavis d'encre de Chine). Le chapeau rejeté en arrière, le trait incisif qui s'allie à la technique, l'intensité de la barbe noire font que le profil de Monet s'impose avec force.

Quant à Renoir, il peint en 1872 des portraits intimes de *Camille* (au milieu, à gauche) et de *Claude Monet* (ci-contre); le peintre est saisi dans une attitude banale, fumant la pipe et lisant le journal.

Du bassin d'Argenteuil au jardin en fleurs

En 1874, Manet représente *Monet peignant dans son bateau-atelier* (à gauche, en haut) : cette embarcation, à laquelle Monet consacre quelques toiles (en bas, *Le Bateau-atelier*), a été aménagée par l'artiste pour travailler sur la Seine. *Les Régates de voiliers* (ci-contre) deviennent prétexte à une démonstration de sa parfaite maîtrise de la technique : touche et couleur sont fragmentées pour traduire les vibrations de l'eau jouant avec les reflets des voiles.

Avec *Monet peignant dans son jardin à Argenteuil*, Renoir montre son ami devant son chevalet (page suivante, en haut à droite). Dans ce même jardin, devant *La Maison de l'artiste à Argenteuil*, Monet place au centre la silhouette du petit Jean, encadrée par des potiches qui contribuent au caractère décoratif de la scène : l'enfant, habillé avec recherche, est très présent bien que vu de dos. Feuillages et fleurs, avec leur alliance de verts et de rouges, sont dans la lignée de *La Terrasse à Sainte-Adresse*, comme l'opposition des taches d'ombre et de lumière sur l'allée.

Et le 24 mars 1874, probablement sous la conduite de Renoir, s'organise une vente publique à l'hôtel Drouot, avec Durand-Ruel pour expert : les cent soixante-trois œuvres de Renoir, Berthe Morisot, Sisley et Monet y déchaînent les sarcasmes et atteignent des prix peu élevés. Ainsi les vingt tableaux de Monet ne montent même pas tous jusqu'à 200 francs. Le montant de ses revenus est faible; mais, signe avant-coureur de la reconnaissance de son talent, le cercle des acheteurs qui traitent personnellement avec l'artiste ne cesse de s'agrandir (Faure, Blémont, Ernest May, Rouart, Chocquet...).

Les loisirs offerts par Argenteuil sont accessibles grâce à l'essor des moyens de transport : *Le Pont du chemin de fer* (1874, ci-dessous avec détails) mérite d'être choisi pour motif autant que les jardins et les bateaux.

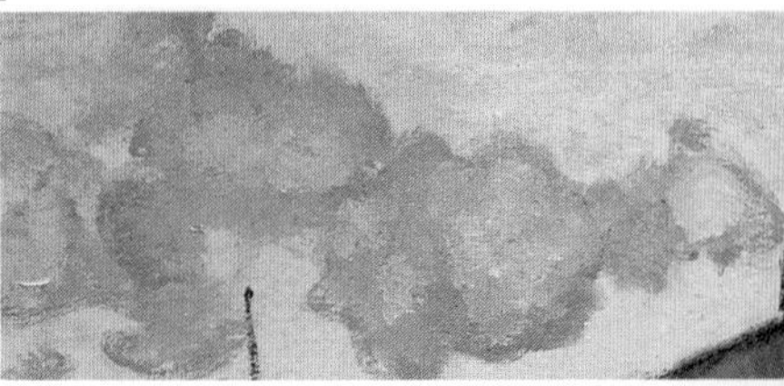

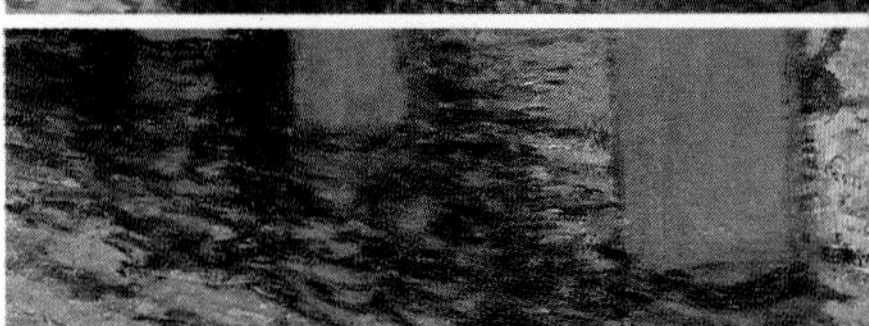

A la manière d'un instantané photographique, le passage du train est restitué sur le pont qui traverse en oblique le paysage.

Une deuxième exposition impressionniste a lieu en avril 1876 dans la galerie Durand-Ruel (11, rue Le Peletier) : dix-huit œuvres de «Monnet» [sic] figurent au catalogue. Si les rieurs sont encore nombreux dans le public, la presse est plus favorable qu'en 1874. Armand Silvestre, Castagnary, Mallarmé tiennent des propos élogieux, tandis que Zola sait reconnaître le rôle majeur de Monet : «Claude Monet est, sans aucun doute, le chef du groupe. Son pinceau se distingue par un éclat extraordinaire.» Mais à cette époque l'unité ne règne déjà plus au sein des impressionnistes.

Se présentent de nouveaux acheteurs dont certains, comme le peintre et collectionneur Gustave Caillebotte et le docteur Georges de Bellio, constitueront désormais pour Monet un soutien d'importance, tout à la fois financier et moral.

Ernest et Alice Hoschedé à Montgeron

Alors que le peintre est à la recherche de motifs ailleurs qu'à Argenteuil, notamment à Paris au

L'architecture de pierre se brise sous l'action conjuguée de l'eau et de la lumière : prouesse spectaculaire de l'œil et du pinceau.

printemps 1876, Ernest Hoschedé l'invite à décorer le château de Rottembourg, à Montgeron, dont a hérité sa femme Alice. En 1875, le collectionneur a dû quitter l'entreprise de tissus familiale en raison de sa mauvaise gestion; un an plus tard, il fonde une nouvelle société.

Alice Hoschedé, photographiée le 1er janvier 1878 avec son dernier-né, Jean-Pierre Hoschedé.

Pour décorer le grand salon, Monet exécute quatre peintures retraçant le passage des deux saisons que dure son séjour : l'été avec *Les Dindons*, le *Coin de jardin à Montgeron* (ou *Les Dahlias*) et *L'Etang à Montgeron*, et l'automne avec *La Chasse* (ou *Avenue du Parc, Montgeron*). Il est probable qu'il rencontre alors Caillebotte, qui possède une propriété près de la rivière d'Yerres.

Le 20 août 1877, Alice mettra au monde son sixième enfant, Jean-Pierre Hoschedé, parfois considéré comme un fils de l'artiste : il aimera à jouer d'une certaine ressemblance physique avec Monet à qui il consacrera un ouvrage.

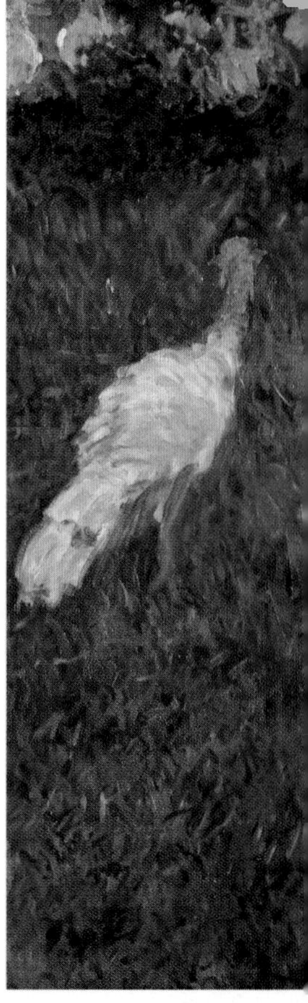

«Il nous faut quitter Argenteuil»

Après la trêve de Montgeron, Monet retrouve Argenteuil et les soucis financiers : «A moins d'une apparition subite de riches amateurs, nous allons être expulsés de cette gentille petite maison [...] où je pouvais si bien travailler. [...] J'étais pourtant plein d'ardeur et j'avais bien des projets» (au docteur de Bellio, dès le 25 juillet 1876). Les premiers mois de 1877 sont occupés par la représentation de *La Gare Saint-Lazare* et la préparation de la «3e exposition impressionniste» où figurent, entre autres œuvres, *Les Dindons* avec la mention «décoration non terminée».

La vie à Argenteuil a donné lieu à de grandes dépenses; malgré d'importantes rentrées d'argent consignées dans ses carnets, le peintre se trouve couvert de dettes et évoque avec appréhension la saisie et la vente de son mobilier s'il ne parvient pas à calmer ses créanciers. Il confie au docteur de Bellio : «De nouveaux malheurs m'accablent, je n'avais pas assez d'être à court d'argent, voici ma femme malade.»

Le 15 janvier 1878, il annonce à son ami : «Dans deux jours, c'est-à-dire *après demain*, il nous faut quitter Argenteuil; pour cela, il faut avoir payé ses dettes.» Ce sont probablement des avances d'argent consenties par Caillebotte qui lui permettent de faire face aux frais occasionnés par le départ d'Argenteuil. A son propriétaire, Monet laisse en gage son grand *Déjeuner sur l'herbe* qu'il abandonne à regret. Le sort de cette toile, roulée et enfouie dans une cave, symbolise la fin d'une époque. Plus tard, Monet aura à cœur de renouer avec sa jeunesse en reprenant possession de cette œuvre qui constitue l'illustration la plus spectaculaire de ses débuts.

En 1876, Monet reprend le grand format pour les panneaux décoratifs destinés au château de Rottembourg, qui se devine à l'arrière-plan des *Dindons*. Un sujet surprenant, une perspective audacieuse empruntée aux estampes japonaises; au premier plan, la tête du dindon ajoute à l'instantanéité de la scène.

« Paris ! Il faut aller à Paris ! C'est la pensée fixe des jeunes hommes, écrivains, artistes, qui respirent à l'étroit dans la province. Claude Monet, après la leçon de Boudin, voulait être à Paris, pour voir les musées et les expositions, pour connaître d'autres peintres, pour exposer au Salon. Plus tard, presque tous, et surtout Monet, seront heureux de retrouver la solitude pour y élaborer leur art et essayer d'arracher quelque secret au sphinx qu'est la nature. »

Gustave Geffroy,
Claude Monet..., 1922

CHAPITRE III

« CET ÉTOURDISSANT PARIS »

Un effet de foule (*La Rue Montorgueil*, détail à gauche), c'est ce que Monet retient souvent de la capitale : « Cette ville me fait peur » (à Geffroy, 8 décembre 1919).

«Tout ce que je vois de beau à Paris»

Pour Monet, Parisien de naissance, mais qui avait passé son enfance et son adolescence au Havre, la ville apparaît riche en contrastes par rapport à la mer et à la campagne. L'une de ses plus anciennes lettres connues, adressée à Boudin depuis Paris, le 3 juin 1859, livre la première impression produite par la capitale sur le jeune artiste qui évoque «cet étourdissant Paris».

Monet se montre particulièrement sensible à la beauté des bords de Seine : «Je m'étais levé de bonne heure, j'avais fait […] une promenade délicieuse par les quais et les Tuileries, c'était charmant et j'étais tout heureux» (à Amand Gautier, 7 mars 1864). Le 20 mai 1867, il écrit à Bazille : «Renoir et moi travaillons toujours à nos vues de Paris»; il fait allusion aux toiles exécutées depuis le Louvre.

Boudin, qui habitera la capitale mais sans jamais la représenter, sait reconnaître le talent de son ami : «Nous parlions de Monet. […] Il y a ici, chez un marchand de la rue Lafayette [sic], une *Vue de Paris* […] qui serait un chef-d'œuvre digne des maîtres, si les détails répondaient à l'ensemble. Il y a de l'étoffe chez ce garçon» (18 janvier 1869).

Fuir Paris… ou revenir s'y fixer?

En décembre 1868, depuis Etretat, Monet confie à Bazille ses réticences à l'égard de Paris : «Je ne vous envie pas d'être à Paris. […] Ne croyez-vous pas qu'à même la nature seul on fasse mieux? Moi, j'en suis sûr. […] On est trop préoccupé de ce que l'on voit et de ce que l'on entend à Paris […] et ce que je ferai ici a au moins le mérite

« Monsieur
le Surintendant,
J'ai l'honneur de venir vous demander de vouloir bien me faire accorder une autorisation spéciale pour faire des vues de Paris des fenêtres du Louvre et notamment de la colonnade extérieure ayant à faire une vue de St-Germain l'Auxerrois. »

Au comte
de Nieuwerkerke,
27 avril 1867

Le jeune Monet montre de l'obstination pour observer *Saint-Germain l'Auxerrois* depuis un point élevé et traduire l'animation parisienne au milieu des jeux d'ombre et de lumière. En 1872, à nouveau aux côtés de Renoir (ci-dessous vers 1875), il peint *Le Pont-Neuf* (photographie à gauche).

de ne ressembler à personne [...] parce que ce sera simplement l'expression de ce que j'aurai ressenti moi personnellement. [...] Je crois bien que je ne viendrai de longtemps à Paris maintenant, un mois tout au plus chaque année.»

Un événement amène Monet à changer radicalement d'orientation. Alors qu'il vient tout juste d'emménager à Bougival, au hameau de Saint-Michel, il s'en explique le 2 juin 1869 à Arsène Houssaye, inspecteur général des Beaux-Arts : «Vous me donniez le conseil de venir me fixer à Paris où il me serait évidemment plus facile de tirer parti de mon petit talent. Mon refus au Salon m'a complètement décidé. [...] L'installation est faite et je suis dans de très bonnes conditions et plein de courage pour travailler.»

Dès le 25 avril, Boudin parlait ainsi du peintre : «On lui a *refusé* ses deux toiles cette année, mais il a pris sa revanche en exposant chez un de nos marchands, Latouche, une étude de Sainte-Adresse qui a fait courir toute la gent artiste. Il y a eu foule devant les vitrines [...], et pour les jeunes, l'imprévu de cette peinture violente a fait *fanatisme.*»

Depuis Bougival, Monet se rend à plusieurs reprises à Paris pour y rencontrer ses camarades : il

aurait posé au milieu d'eux dans *L'Atelier de la rue La Condamine* de Bazille. Sa présence est encore plus certaine dans *L'Atelier aux Batignolles* de Fantin-Latour. Et c'est à Paris qu'il épouse Camille Doncieux le 28 juin 1870.

L'atelier parisien de la rue d'Isly

Au retour d'Angleterre, en automne 1871, Monet séjourne quelque temps à l'Hôtel de Londres et de New York, dans le quartier de l'Europe, apprécié des peintres et des écrivains. Il travaille souvent dans l'ancien atelier d'Amand Gautier, qu'il conservera jusqu'en 1874 et dont il donne ainsi l'adresse : «8, rue de l'Isly, près la gare Saint-Lazare.» La gare deviendra un motif pour le peintre en 1877. Pour

Depuis une fenêtre du 35, boulevard des Capucines (les ateliers de Nadar où a lieu l'exposition impressionniste de 1874), Monet étudie l'agitation du «Paris des boulevards». Le peintre restitue la foule des piétons par de petites touches sombres, un procédé qui excite la verve de Louis Leroy : «En voilà de l'impression ou je ne m'y connais pas. […] Veuillez me dire ce que représentent ces innombrables lichettes noires dans le bas du tableau» (*Le Charivari*, 25 avril 1874). Cependant se détache une note de couleur donnée par les ballons roses.

Bazille (à droite) dessiné par lui-même.

L'une de ces deux vues du *Boulevard des Capucines* (1873, la version en hauteur) est présentée à l'exposition de 1874. Raillée par le critique Leroy, elle est admirée par Ernest Chesneau : «Jamais l'animation prodigieuse de la voie publique, le fourmillement de la foule sur l'asphalte et des voitures sur la chaussée, l'agitation des arbres du boulevard dans la poussière et la lumière, jamais l'insaisissable, le fugitif, l'instantané du mouvement n'a été saisi et fixé dans sa prodigieuse fluidité comme [...] dans cet extraordinaire *Boulevard des Capucines*» (*Paris-Journal*, 7 mai 1874).

l'heure, il représente avec Renoir *Le Pont-Neuf* (1872) et voit souvent Boudin.

Monet au rang des grands maîtres du «paysage urbain»

Monet montre d'abord une image du Paris traditionnel : les bords de Seine, les quais et les ponts au cœur de la capitale. Puis, en 1873, il peint deux toiles d'après *Le Boulevard des Capucines*, depuis l'atelier de Nadar, exprimant ainsi sa fascination pour le «nouveau Paris» haussmannien : c'est «cet étourdissant Paris», avec sa foule joyeuse et bigarrée, qui apparaît alors sous son pinceau. L'une des deux œuvres figure à la première exposition impressionniste de 1874, où elle suscite les moqueries de Louis Leroy et d'autres critiques.

La représentation par Monet de ces scènes de la vie contemporaine répond à l'objectif de «modernité» («cet élément transitoire, fugitif...») préconisé dès 1863 par Baudelaire au «peintre de la vie moderne». Ces «paysages urbains» en vue plongeante, ces effets de perspective montante, recherchés également par Caillebotte et Pissarro, trahissent la double influence exercée sur les impressionnistes par les premières

photographies et les estampes japonaises.

Japonerie et «japonisme»

Monet aurait découvert les estampes japonaises à Londres, puis à Zaandam, avant qu'elles ne lui deviennent familières à Paris. A la date du 31 mars 1875, Edmond de Goncourt évoque dans son *Journal* «ce grand mouvement japonais, qui s'étend aujourd'hui de la peinture à la mode. Ç'a été tout d'abord quelques originaux, comme mon frère et moi, [...] puis à notre suite la bande des peintres impressionnistes.» Le «japonisme» qui se donne libre cours à Paris se révèle avec éclat dans la grande composition de Monet, *La Japonaise*, intitulée parfois *Japonnerie* (au catalogue de la «2e exposition impressionniste» de 1876) ou *Japonerie* (à la vente de l'hôtel Drouot le 14 avril de la même année).

«*La Japonaise*... une Parisienne costumée en Japonaise. C'est ma première femme qui a posé», précise Monet en 1919 à propos de ce tableau peint en 1875-1876. Plutôt que la manifestation de l'influence des estampes japonaises, c'est ici l'expression éclatante du «japonisme» de l'époque, avec l'importance accordée aux accessoires décoratifs (robe d'acteur ou kimono, éventails et perruque blonde...).

Et toujours les jardins...

Si les jardins des maisons successivement habitées par le peintre à Argenteuil peuvent être perçus comme une insertion de la ville dans la campagne, avec les jardins publics parisiens c'est au contraire la campagne qui se glisse dans la capitale. Monet, qui s'intéresse passionnément aux jardins depuis Sainte-Adresse, consacre plusieurs toiles aux deux «promenades» de la société élégante et mondaine de Paris : les Tuileries et le parc Monceau.

Au printemps 1876, il exécute quatre vues des *Tuileries* (Manet et Renoir l'avaient précédé) depuis l'appartement de Chocquet, au 198, rue de Rivoli : trois d'entre elles sont acquises par le docteur de Bellio, Ernest May et Caillebotte. A la «3e exposition impressionniste» de 1877, trois toiles des *Tuileries* voisinent avec une vue du *Parc Monceau*. Ce jardin, près duquel habite Ernest Hoschedé, est peint de nouveau par l'artiste en 1878.

Parisiens au Parc Monceau (1878) : une nouvelle étude de la lumière qui filtre à travers les arbres.

«Les démarches que je viens de faire pour obtenir la permission de peindre dans la gare Saint-Lazare...»

Alors qu'il annonce le 17 janvier 1877 à l'éditeur Charpentier qu'il dispose d'un nouvel atelier dans le quartier de l'Europe au 17, rue Moncey – local loué au nom de Caillebotte –, Monet entreprend une importante campagne de travail à l'intérieur et à l'extérieur de la gare Saint-Lazare.

Le choix d'un tel sujet peut paraître surprenant de la part d'un peintre du plein air. Mais en fait, en s'intéressant à ce bâtiment caractéristique de l'époque, Monet se montre homme de son temps : omniprésente dans le roman de Zola *La Bête humaine* (1889-1890), qui donne à la locomotive Lison un rôle majeur, analysée par Proust dans *A la recherche du temps perdu*, la gare Saint-Lazare témoigne de l'industrialisation et de l'architecture de

« Ces grands ateliers vitrés, comme celui de Saint-Lazare [...] qui déployait au-dessus de la ville éventrée un de ces immenses ciels [...] pareils à certains ciels, d'une modernité presque parisienne, [...] et sous lequel ne pouvait s'accomplir que quelque acte terrible et solennel comme un départ en chemin de fer. »

Marcel Proust, *A l'ombre des jeunes filles en fleurs*, 1918

verre et de métal mise à l'honneur par le Crystal Palace de Londres. Elle est la «porte de la ville» qui abrite les lignes en partance vers les hauts lieux de l'impressionnisme : Chatou, Bougival, Louveciennes, Ville-d'Avray, Argenteuil, Vétheuil, Pontoise, Eragny, Giverny et la Normandie...

La Gare Saint-Lazare. De gauche à droite : une vue à l'extérieur, l'arrivée d'un train, le passage des lignes sous le pont de l'Europe. Ci-dessus, une esquisse dessinée.

Avec *La Gare Saint-Lazare* (1877), Monet s'intéresse à la fois au bâtiment, soulignant l'armature métallique du toit, et au thème du train : la marquise de verre crée une composition symétrique centrée sur la locomotive sombre en marche. A l'arrière-plan, le soleil provoque la dislocation des façades. Dans ces «palais de l'industrie moderne où se déploie la religion du siècle, celle des chemins de fer», ou «cathédrales de l'humanité nouvelle» (selon Théophile Gautier), le peintre se plaît à représenter les nuages de fumée s'échappant des machines et dansant avec la lumière.

“ M. Claude Monet est la personnalité la plus accentuée du groupe. Il a exposé cette année des intérieurs de gare superbes. On y entend le grondement des trains qui s'engouffrent, on y voit des débordements de fumée qui roulent sous les vastes hangars. Là est aujourd'hui la peinture, dans ces cadres modernes d'une si belle largeur. Nos artistes doivent trouver la poésie des gares, comme leurs pères ont trouvé celle des forêts et des fleuves. ”

Emile Zola,
Le Sémaphore de Marseille,
19 avril 1877

De même, la curieuse armature métallique du pont de l'Europe, «qui étonne par sa forme bizarre et son immensité», selon un guide de 1867, inspire Manet, Caillebotte et Monet.

A la «troisième exposition impressionniste» d'avril 1877, outre ses toiles d'après les jardins parisiens, Monet présente huit vues de *La Gare Saint-Lazare* (la huitième étant hors catalogue). L'année suivante, au cours de la dernière vente aux enchères dispersant la collection Hoschedé, le docteur de Bellio acquiert l'*Impression*, citée au catalogue comme un «*Soleil couchant*».

«Je suis de nouveau devenu campagnard»

Contraint de quitter Argenteuil en janvier 1878, Monet séjourne quelques mois avec Camille et Jean à Paris au 26, rue d'Edimbourg, tout en gardant l'atelier de la rue Moncey. Le 30 mars, il annonce à Ernest May : «Ma femme vient d'accoucher d'un second enfant [le 17 mars] et je me trouve sans le sou et dans

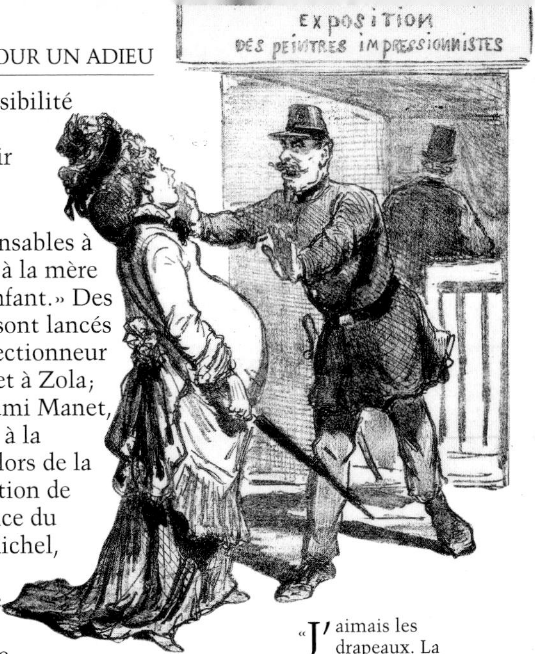

EXPOSITION
DES PEINTRES IMPRESSIONNISTES

l'impossibilité de subvenir aux soins indispensables à donner à la mère et à l'enfant.» Des appels sont lancés au collectionneur Murer et à Zola; c'est l'ami Manet, témoin à la mairie lors de la déclaration de naissance du petit Michel, qui lui apporte encore son aide.

Monet reprend le thème des jardins; une dizaine de peintures montrant les bords de Seine sur l'île de la Grande Jatte préfigurent les œuvres de Vétheuil.

Cinq ans après *Le Boulevard des Capucines*, il transpose à nouveau sur la toile l'agitation de la capitale à l'occasion de la fête nationale, pendant l'Exposition universelle : ces effets de foule dans *La Rue Montorgueil* et *La Rue Saint-Denis*, toutes deux pavoisées, sont un éclatant adieu à Paris, qui disparaît alors définitivement de son œuvre. «Je suis de nouveau devenu campagnard et [...] je ne viens plus à Paris que de loin en loin pour écouler mes toiles», écrit-il depuis Vétheuil à Duret le 8 février 1879.

«J'aimais les drapeaux. La première fête nationale du 30 juin, je me promenais [...] rue Montorgueil; la rue était très pavoisée et un monde fou; j'avise un balcon, je monte...» (à René Gimpel, octobre 1920). Avec *La Rue Montorgueil* (1878), Monet renouvelle l'expérience de la vue plongeante et emprunte la perspective montante aux estampes japonaises et à la photographie naissante; la croisée des diagonales crée une construction rigoureuse.

A gauche, Manet photographié par Nadar vers 1864. Ci-dessus, caricature (*Le Charivari*, avril 1877).

«Vous avez peut-être su que j'avais planté ma tente aux bords de la Seine à Vétheuil, dans un endroit ravissant» (à Murer, 1er septembre 1878). Le fleuve devient le sujet d'un ensemble de paysages d'hiver, les *Débâcles* : ces toiles sont empreintes de la tristesse éprouvée à la mort de Camille qui apparaît comme un adieu aux années de jeunesse, à l'heure où se disloque le groupe impressionniste.

CHAPITRE IV

«AUX BORDS DE LA SEINE À VÉTHEUIL»

La Seine à Vétheuil (1879) : ici, un format en hauteur, inhabituel pour les œuvres de Vétheuil. La ligne d'horizon partage symétriquement la composition entre ciel et eau dans une harmonie de bleus et de verts.

Le village de Vétheuil, sis sur la rive droite de la Seine, bénéficie d'une situation privilégiée : placé sur une corniche, il domine une boucle du fleuve parsemée d'îles boisées. Un paysage si caractéristique a tout pour séduire l'artiste. Monet s'attarde d'abord à représenter les maisons groupées autour de l'église. Par la manière dont il sait tirer parti des incessantes variations d'éclairage, le peintre manifeste l'attachement qu'il porte à son village d'adoption. Modifiant à peine l'emplacement de son chevalet, il y poursuit ses études de la lumière et ses recherches de nouveaux cadrages. Les toiles de Vétheuil sont aussitôt vendues à Caillebotte, à Duret et au docteur de Bellio.

Lors de son premier hiver passé à Vétheuil, Monet représente à plusieurs reprises le village sous la neige : *Eglise de Vétheuil, neige* (1878-1879, en haut).

«Je ne puis espérer gagner avec mes peintures de quoi suffire à la vie que nous menons à Vétheuil»

A Vétheuil, Monet et les siens occupent une maison sur la route de Mantes, qu'ils partagent avec Alice et

Afin d'obtenir une vue panoramique sur Vétheuil, Monet se déplace dans son bateau-atelier sur la Seine, ou s'installe sur l'une des petites îles, ou encore (ci-contre) traverse le fleuve pour planter son chevalet sur la rive opposée. Pour ces paysages, similaires au premier abord, l'effet diffère à chaque fois : «effet de neige» (page de gauche), *Effet de soleil après la pluie* (ci-contre). L'artiste applique ici la technique mise au point à Argenteuil : la touche fragmentée figure le mouvement de l'eau, mais les formes architecturales résistent encore à la dissolution par la lumière.

Ernest Hoschedé, accompagnés de leurs six enfants. Puis, en décembre 1878, les deux familles s'établissent dans une habitation plus confortable, sur la route qui mène à La Roche-Guyon. A Paris, Monet transporte son atelier de la rue Moncey au 20, rue de Vintimille.

L'installation à Vétheuil contribue à isoler le peintre de ses anciens camarades impressionnistes. «Ce n'est qu'à contrecœur et pour ne pas passer pour un lâcheur» (à Murer, 25 mars 1879), et aussi par

A Vétheuil (photographie ci-dessus), ce sont surtout les rapports entre la terre et l'eau, les reflets du paysage sur le fleuve qui retiennent l'attention du peintre.

besoin d'argent, qu'il accepte finalement de participer avec vingt-neuf œuvres à la «4e exposition de peinture» du groupe au 28, avenue de l'Opéra.

Dans l'incapacité de payer le loyer comme de rembourser la dette contractée auprès de Manet pour l'emménagement à Vétheuil, Monet envisage de partir avec les siens, ainsi qu'il le propose à Ernest

Hoschedé : «Moi seul peux savoir mes inquiétudes et le mal que je me donne pour finir des toiles qui ne me satisfont pas moi-même et qui plaisent à si peu de monde. [...] Je suis absolument découragé, ne voyant, n'espérant aucun avenir. [...] Il me faut bien me rendre à l'évidence, je ne puis espérer gagner avec mes peintures de quoi suffire à la vie que nous menons à Vétheuil. [...] Nous ne devons pas être pour Mme Hoschedé et vous une société bien agréable, moi toujours et de plus en plus aigri, ma femme presque toujours malade. [...] Notre départ serait un soulagement pour tout le monde dans la maison, [...] bien que j'aie pu croire faire des rêves de travail et de bonheur» (14 mai 1879).

«Ma pauvre femme a succombé ce matin»

Dans les lettres qu'il adresse au docteur de Bellio, Monet livre l'inquiétude que lui donne la santé de Camille, dans un état de «faiblesse extrême» depuis la naissance de Michel. Le 5 septembre 1879, il lui annonce : «Ma pauvre femme a succombé ce matin. [...] Je suis consterné de me voir seul avec mes pauvres enfants. Je viens vous demander

La représentation des fleurs en intérieur est rare chez Monet : l'automne lui offre l'occasion de peindre des *Chrysanthèmes* (1878, en haut).

un nouveau service, ce serait de faire retirer au Mont de Piété le médaillon dont je vous envoie [...] la reconnaissance. C'est le seul souvenir que ma femme avait pu conserver et je voudrais pouvoir [le] lui mettre au cou avant de partir.» Une dernière intention sentimentale montrant que l'artiste demeure attaché à celle qui fut la compagne de ses débuts, même si les années récentes ont pu laisser paraître ce passé définitivement révolu.

Le 26 septembre, le peintre, désemparé, se confie à Pissarro : «Vous devez, en effet, mieux que tout autre savoir le chagrin que je puis avoir. Je suis accablé, ne sachant comment me retourner, ni comment je vais pouvoir organiser ma vie avec mes deux enfants. Je suis bien à plaindre.» Durant cet automne, et sans doute en raison du mauvais temps, Monet abandonne le travail en plein air pour se consacrer à des compositions de fleurs et de fruits; la saison de la chasse lui inspire de très belles natures mortes de gibiers.

Un hiver particulièrement rigoureux

A la faveur d'un événement exceptionnel – les grands froids de l'hiver 1879-1880 –, la Seine devient soudain le sujet presque exclusif des peintures de Monet. Le fleuve se trouve alors entièrement gelé; s'ensuit une débâcle mémorable. Une catastrophe naturelle d'une telle ampleur séduit l'artiste qui manifeste un intérêt grandissant pour l'étude des phénomènes atmosphériques : elle lui

Camille Monet sur son lit de mort (1879, à gauche). La toile est traitée comme un «effet de neige» et révèle la préoccupation constante du peintre pour l'analyse des couleurs.

“ Au chevet d'une morte qui m'avait été [...] très chère, je me surpris [...] dans l'acte de chercher machinalement la succession, l'appropriation des dégradations de coloris que la mort venait d'imposer à l'immobile visage. [...] Bien naturel le désir de reproduire la dernière image de celle qui allait nous quitter [...]. Mais avant même que s'offrit l'idée de fixer des traits auxquels j'étais si profondément attaché, voilà que l'automatisme organique frémit d'abord aux chocs de la couleur. ”

Monet
cité par Clemenceau,
Cl. Monet..., 1928

donne l'occasion d'exécuter plusieurs compositions spectaculaires où les effets diffèrent seulement selon l'angle de vue adopté et l'heure choisie. Monet n'aura bientôt plus qu'à garder un même emplacement, ou tout au moins à n'en changer que très légèrement, pour laisser la modification des formes et des couleurs sous l'emprise de la lumière devenir son unique sujet.

L'artiste semble avoir prêté une valeur sentimentale aux peintures de Vétheuil. Ces paysages aux tonalités froides, où ciel et eau sont souvent d'une même pâleur hivernale, et qui sont empreints de silence et de désolation (aucun être vivant dans ces tristes étendues désertes), sont en accord tout autant avec la saison dépeinte qu'avec ses préoccupations matérielles et morales du moment. Comme par une mystérieuse «correspondance» baudelairienne, la nature s'est mise à l'unisson de la mélancolie qui habite le peintre. Certains auteurs (D. Rouart, J.-D. Rey, W. C. Seitz) ont même proposé une lecture symbolique des *Débâcles* en y voyant la traduction imagée des circonstances brutales qui affectent son existence : la rupture des glaces illustrerait sa

« Nous avons eu ici une débâcle terrible et naturellement j'ai essayé d'en faire quelque chose. »

Au docteur de Bellio, 8 janvier 1880

La Seine occupe tout le premier plan et les verticales dessinées par les buissons et les troncs des arbres, se réfléchissant sur l'eau, contrebalancent cette plage horizontale. Le peintre sait différencier par son pinceau l'eau mouvante et les durs blocs de glace : la vibration des glaçons est obtenue par la touche fragmentée alliée à des empâtements.

séparation d'avec le groupe impressionniste, en même temps que le tournant pris alors par sa vie intime; la disparition de Camille, le modèle de ses débuts, marque soudain la fin d'une époque.

Débâcle sur la Seine : les glaçons (1880); cette œuvre a appartenu à Charles Ephrussi, le collectionneur qui aurait inspiré à Marcel Proust le personnage de Swann.

Un double défi : le Salon et la première exposition particulière

Après avoir ignoré le Salon depuis 1870 – le jury avait une fois encore refusé ses envois –, Monet décide

d'affronter à nouveau cette manifestation officielle en 1880. Le succès remporté par Renoir au Salon précédent avec le *Portrait de Mme Georges Charpentier et de ses enfants* n'est probablement pas étranger à ce revirement. Mais, conscient qu'un tel acte passerait pour une trahison aux yeux des impressionnistes, surtout venant de celui qui avait été à l'origine de leur regroupement et de la création du mouvement pictural en 1874, l'artiste prend soin d'écrire à Duret pour tenter de justifier sa conduite par l'espoir de ventes éventuelles.

Seule est admise une des deux peintures présentées *(Lavacourt)*; encore la toile est-elle exposée de manière défavorable. Zola ne se prive pas de juger les œuvres de Monet trop hâtivement peintes, tout en reconnaissant son talent et en lui promettant le succès : «Avant dix ans, il sera reçu, placé sur la

« Tout miroite, [...] tout est mirage par ce dégel : vous ne savez plus si c'est de la glace ou du soleil, et tous ces morceaux de glace brisent et charrient les reflets du ciel, et les arbres sont si brillants qu'on ne sait plus si leur rousseur vient de l'automne ou de leur espèce, et on ne sait plus où l'on est, si c'est le lit d'un fleuve ou la clairière d'un bois. »

Marcel Proust

“ Pour le Salon, j'ai dû faire une chose plus sage, plus bourgeoise. ”
A Duret, 8 mars 1880

Ce paysage réaliste de *Lavacourt* est une description minutieuse et non une interprétation personnelle du motif par l'artiste. La fragmentation de la touche, si elle apparaît dans les reflets sur l'eau, est pratiquée avec retenue et la facture est lisse. Le peintre consent à sacrifier l'«instantanéité», qui caractérise sa production habituelle, pour donner un aspect conventionnel à ce tableau accepté au Salon et remarqué par Zola (ci-dessous).

cimaise, récompensé, il vendra ses tableaux très cher et marchera à la tête du mouvement actuel» («Le Naturalisme au Salon», III, *Le Voltaire*, 21 juin 1880).

Tandis qu'il renoue avec le Salon, Monet abandonne l'exposition des impressionnistes – dénommés «Artistes indépendants» depuis l'année précédente –, confirmant l'éclatement du groupe déjà amorcé par les départs de Renoir, Sisley et Cézanne. En juin, se tient à la galerie de *La Vie moderne* (revue fondée en 1879 par l'éditeur Georges Charpentier) la première exposition particulière consacrée à Monet; le catalogue, préfacé par Duret, comprend dix-huit œuvres. Les quelques ventes qui s'ensuivent permettent à l'artiste de rembourser ses créanciers et lui apportent courage et espoir : «Je travaille beaucoup et suis dans une bonne veine de travail» (à Duret, 5 juillet 1880).

En août, il participe à l'«Exposition de 1880» de la Société des amis des arts du Havre : ses peintures (dont le tableau du Salon) reçoivent un mauvais accueil de la ville où il avait effectué ses débuts. En revanche, les marines exécutées sur la côte normande au cours des années suivantes rencontreront davantage de succès à Paris.

«Je dois quitter prochainement Vétheuil et je suis à la recherche d'un joli endroit aux bords de la Seine. J'ai pensé à Poissy» (à Zola, 24 mai 1881)

Depuis la mort de Camille, la situation familiale de Monet et des époux Hoschedé est devenue confuse : les affaires retiennent Ernest à Paris tandis qu'Alice justifie sa présence auprès de Monet par la nécessité d'élever les deux jeunes fils de l'artiste.

Intermède majeur entre Argenteuil et Giverny, la période de Vétheuil constitue une transition au terme de laquelle la carrière et l'existence du peintre s'engagent vers de nouvelles orientations décisives pour l'avenir : d'une part Monet, parvenu à l'âge de la maturité, a assimilé ses expériences artistiques précédentes et acquis son indépendance en se détachant de l'ancien groupe des impressionnistes; d'autre part, avec la disparition de Camille et la place grandissante occupée par celle qui deviendra plus tard sa seconde épouse, sa vie personnelle prend un cours différent; enfin, l'appui constant de Durand-Ruel semble annoncer des jours

En représentant *Théodore Duret* (1868), Manet souligne l'élégance de celui qu'il appelle «le dernier des dandys». L'artiste s'inspire de portraits de Goya : c'est d'ailleurs à Madrid que Manet a rencontré le critique d'art devenu un soutien fidèle pour Monet.

LE PEINTRE

CLAUDE MONET

NOTICE SUR SON ŒUVRE

Par Théodore DURET

SUIVIE DU CATALOGUE DE SES TABLEAUX

Exposés dans la galerie du Journal illustré

LA VIE MODERNE

7, boulevard des Italiens, 7

LE 7 JUIN 1880 ET JOURS SUIVANTS

Monet et Duret réunis à Paris sur le catalogue de l'exposition de 1880. Le 8 juillet, Monet écrit à Duret : «Je vous enverrai quelque chose en souvenir de mon exposition à laquelle vous avez si vaillamment collaboré.»

meilleurs. Toutes ces promesses se trouvent merveilleusement illustrées par la toile qui immortalise *Le Jardin de l'artiste à Vétheuil*, quelques mois avant son départ. En décembre 1881, en grande partie grâce à Durand-Ruel qui paie le

Le Jardin de l'artiste à Vétheuil (1881) : les touches fragmentées font vibrer sous le soleil les haies fleuries de tournesols.

déménagement de Vétheuil, Monet abandonne la rive droite de la Seine pour s'installer avec Alice Hoschedé et les enfants à Poissy, dans la villa Saint-Louis, une fois encore près du fleuve.

Durand-Ruel : un soutien compréhensif, efficace et fidèle

Au début des années 1880, le nom de Georges Petit disparaît du nombre des acheteurs de Monet. Le marchand est supplanté par celui qui ne cessera désormais d'apporter une aide morale et financière à l'artiste : Durand-Ruel s'impose de jour en jour davantage auprès de Monet, jusqu'à remplacer les amateurs habituels (le chanteur Faure, Duret, Ephrussi, le directeur de la *Gazette des Beaux-Arts*, le docteur de Bellio, Murer) à qui le peintre refuse depuis quelque temps déjà de vendre ses toiles à bas prix. Les achats de Durand-Ruel, constants depuis février 1881, lui permettent de renoncer définitivement au Salon et de s'abstenir une fois encore de participer à la «6e exposition de peinture» du groupe impressionniste.

Depuis les coteaux de Vétheuil, Monet restitue ici un «effet de printemps» (1880) sur la vallée de la Seine. La toile, à nu par endroits, est très légèrement couverte de couleurs claires et vives qui suggèrent la transparence de l'air et les nuages évanescents. L'arbre aux bourgeons récemment éclos, qui rappelle les amandiers en fleurs des estampes japonaises, suffit à traduire la renaissance de la nature. Après cet hiver mémorable, le peintre accueille avec bonheur l'arrivée des beaux jours à la campagne.

En 1882, le krach de la banque de l'Union générale affecte durement Durand-Ruel; Monet décide alors de soutenir le marchand en participant avec trente-cinq œuvres à la «7e exposition des Artistes indépendants» – il revient sur son refus initial – organisée en mars dans les salons du Panorama de Reichshoffen (251, rue Saint-Honoré). Bien que certains journalistes, comme Huysmans en 1880, persistent à critiquer la vision des impressionnistes et l'utilisation très particulière des couleurs faite par Monet, les quelques marines de l'artiste y sont très appréciées.

Après avoir peint dans une fièvre intense plusieurs motifs à Pourville, au cours de l'hiver et de l'été, l'artiste traverse un moment d'incertitude et de désespoir : «Je vois l'avenir trop noir. Le doute s'empare de moi, il me semble que je suis perdu, que je ne pourrai plus rien faire» (à Durand-Ruel, 18 septembre 1882). Selon sa générosité coutumière,

Le peintre consigne soigneusement les transactions effectuées,

Rue de la Paix, N° 1
près la place Vendôme
DURAND-RUE
Vente et location
de Tableaux et Dessins

mentionnant prix et acheteurs : ainsi, le 13 janvier 1884 (ci-contre), les œuvres acquises par Durand-Ruel (ici photographié vers 1905); en tête, le nom de la toile reproduite ci-dessus.

celui qui, davantage qu'un marchand, est devenu un ami répond par des envois d'argent et prodigue avec confiance des encouragements; il fait figurer des toiles de Monet à Londres et à Berlin et, en octobre, acquiert une vingtaine des œuvres exécutées en Normandie. Au cours de cette même année 1882, le peintre entreprend la décoration du grand salon de l'appartement de Durand-Ruel au 35, rue de Rome, à laquelle il travaillera jusqu'en 1885. En mars 1883, le marchand consacre à Monet une exposition particulière de cinquante-six œuvres dans ses nouveaux locaux de la Madeleine. L'indifférence du public et de la presse est très vivement ressentie par l'artiste : il en fait porter la responsabilité à Durand-Ruel, accusé d'avoir mal préparé l'exposition…

Une «tempête terrible», selon les propres mots de l'artiste, lui permet cette étude spectaculaire de la *Mer agitée à Etretat* (1883), avec les vagues qui viennent battre la falaise d'Aval; au premier plan, deux silhouettes de pêcheurs contemplent le spectacle.

«Je me mets en route jusqu'à ce que j'aie trouvé pays et maison à ma convenance» (à Durand-Ruel, 5 avril 1883)

A plusieurs reprises, le peintre exprime son aversion pour «cet horrible Poissy de malheur» qui l'inspire fort peu : «Le pays ne me va pas du tout», confiait-il à Durand-Ruel le 27 mai 1882. En effet, de courte durée, le séjour à Poissy peut être considéré comme un échec. Au cours de cette dernière année, ce sont surtout les séjours sur la côte normande qui doivent retenir l'attention. Les lettres adressées alors à Alice Hoschedé révèlent l'intimité croissante qui s'instaure entre elle et l'artiste, exprimée par cet aveu de Monet : «Pensez bien que je vous aime et qu'il me serait impossible de vivre sans vous» (Etretat, 12 février 1883).

Sans doute le malaise éprouvé par le peintre à Poissy l'a-t-il aidé à prendre conscience de la

nécessité impérieuse de trouver un lieu approprié à son travail. Agé de quarante-deux ans, Monet aspire à une certaine stabilité. Commence alors sa prospection dans la campagne, avec une intention déjà ancienne, rappelée à Durand-Ruel le 5 avril 1883 : «Une fois installé, ne venir à Paris qu'une fois par mois à date fixe.» L'année précédente, l'artiste a abandonné son atelier parisien de la rue de Vintimille. Le déménagement de Poissy est de nouveau à la charge de Durand-Ruel, et Monet reconnaît : «Tout cela va faire bien de l'argent que je vous devrai, mais une fois installé, j'espère faire des chefs-d'œuvre, car le pays me plaît beaucoup.» L'artiste a découvert Giverny...

En 1882, avec *La Falaise à Dieppe* (à gauche), Monet restitue l'aspect parfois dramatique de ces parois rocheuses du pays de Caux qui surplombent la mer. Au contraire, ci-dessus, une toile lumineuse traduit l'atmosphère heureuse d'une *Promenade sur la falaise à Pourville* durant l'été; les figures féminines (Alice Hoschedé et l'une de ses filles?) se découpent sur l'eau.

Au centre, lettre de Monet à Durand-Ruel, écrite à Poissy le 20 décembre 1881.

« Je suis dans le ravissement, Giverny est un pays splendide pour moi », écrit Monet à Duret dès 1883. Lors de ses campagnes de peinture, au cours des années 1880, l'artiste ne cesse d'exprimer dans sa correspondance l'attachement croissant qu'il porte à ce village situé au confluent de l'Epte et de la Seine. Sept ans plus tard, « certain de ne jamais retrouver une pareille installation ni un si beau pays », il acquiert la propriété de Giverny.

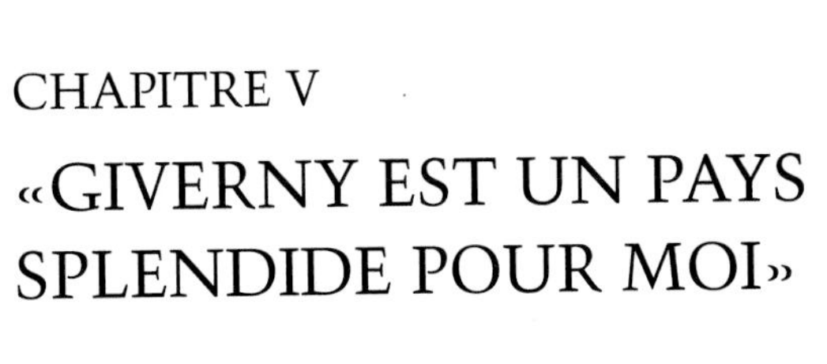

CHAPITRE V

« GIVERNY EST UN PAYS SPLENDIDE POUR MOI »

Monet communique à ses proches sa passion pour le canotage, qu'il pratique depuis Argenteuil : dans *La Barque à Giverny* (vers 1887, détail), les filles Hoschedé (ici, de gauche à droite, Suzanne et Blanche), en toilettes claires, pêchent à la ligne sur l'Epte, non loin de la maison.

La découverte de la côte méditerranéenne

A peine établi à Giverny, en 1883, avec Alice Hoschedé et les enfants, Monet apprend avec tristesse le décès de Manet, survenu le 30 avril.

En décembre, il part pour la première fois sur la côte méditerranéenne en compagnie de Renoir; après avoir rendu visite à Cézanne à Aix-en-Provence, les deux artistes poussent jusqu'à Gênes. Puis, dès janvier, Monet revient séjourner trois mois sur la Riviera du Ponant, «à Bordighera, l'un des plus beaux endroits que nous ayons vu dans notre voyage. [...] J'espère bien vous rapporter toute une série de choses neuves. Mais je vous demande de ne parler de ce voyage à *personne* [...] parce que je tiens à *le faire seul*. [...] J'ai toujours mieux travaillé dans la solitude et d'après mes seules impressions» (à Durand-Ruel, 12 janvier 1884).

Bordighera est une station hivernale réputée pour la douceur de son climat et la luxuriance de sa végétation tropicale : «On peut se promener indéfiniment sous les orangers, les palmiers et les citronniers et aussi sous les admirables oliviers. [...] Je voudrais faire des orangers et des citronniers se détachant sur la mer bleue. [...] Quant au bleu de la mer et du ciel, c'est impossible» (à Alice Hoschedé, 26 janvier 1884).

Pour traduire la luminosité et l'atmosphère propres à la région, le peintre utilise des tonalités inhabituelles, ce dont il prend soin de prévenir Durand-Ruel dans une lettre qui constitue le bilan de son séjour en Ligurie : «Cela fera peut-être un peu crier les ennemis du bleu et du rose, car c'est justement cet éclat, cette lumière féerique que je m'attache à rendre; [...] tout est gorge-de-pigeon et flamme-de-punch, c'est

Vues depuis les jardins Moreno, un «paradis terrestre» selon Monet, les *Villas à Bordighera* (1884, ci-contre; détails ci-dessous et à droite) montrent au premier plan la villa édifiée vers 1880 pour le baron Bischoffsheim par Charles Garnier. Pour peindre le paysage de Ligurie, «il faudrait une palette de diamants et de pierreries» (à Duret, 2 février 1884).

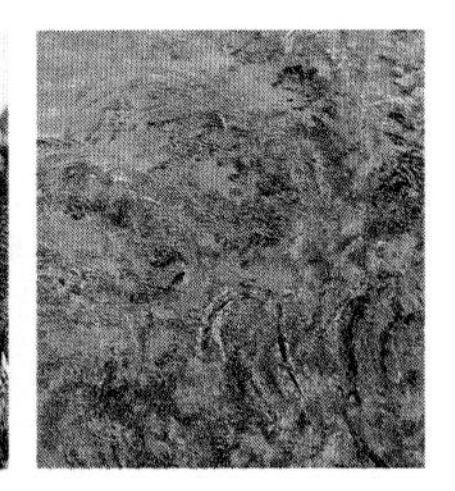

admirable et chaque jour la campagne est plus belle, et je suis enchanté du pays» (11 mars 1884).

«Arrondie en croissant de lune, la petite ville d'Etretat, avec ses falaises blanches, son galet blanc et sa mer bleue, reposait sous le soleil» (Maupassant, *Le Modèle*, 1883)

Au cours des années 1883 à 1886, Monet retourne régulièrement à Etretat : le caractère pittoresque du site l'attire autant que le ciel et la mer. Autre habitué du pays de Caux – c'est d'ailleurs le cadre d'un grand nombre de ses *Contes et Nouvelles* –, Guy de Maupassant partage l'admiration manifestée par le peintre; entre les œuvres contemporaines des deux hommes, qui se retrouvent à

“ Ici je vais m'attacher aux palmiers et aux aspects un peu exotiques. ”
A Durand-Ruel, 23 janvier 1884

La falaise d'*Etretat* et la porte d'Aval (dessin au crayon extrait d'un carnet de croquis, vers 1883, à gauche).

plusieurs reprises à Etretat, s'imposent des correspondances.

A la suite de Courbet et Boudin, Monet peint la porte d'Amont, la Manneporte et la porte d'Aval, parfois avec l'Aiguille : «Vous ne pouvez vous faire une idée de la beauté de la mer. [...] Quant aux falaises, elles sont ici comme nulle part» (à Alice Hoschedé, 3 février 1883).

Faure 5
Caillebott
Petit 12
Vangog
de Bellio

Au printemps 1886, quelques jours en Hollande

L'artiste éprouve une véritable fascination pour les champs de tulipes entre Leyde et Haarlem, et en rapporte cinq toiles qu'il termine en atelier à Giverny : le ciel y est traité avec légèreté mais, par la place importante qu'il occupe, il suggère l'immensité du paysage hollandais tout en laissant les fleurs s'imposer au premier regard. Deux versions figurent dès le 15 juin 1886 à la «V[e] exposition internationale de peinture et de sculpture», dans la galerie Georges Petit, où elles suscitent ce commentaire de Huysmans : «Il y a des champs de tulipes en Hollande de Claude Monet, stupéfiants! Une vraie fête des yeux» (à Redon, 28 juin 1886).

«Tout ce qui a été exposé a été vendu cher et à des gens bien», écrit Monet à Berthe Morisot.

La «chasse à l'amateur»

Si les ennuis financiers rencontrés par Durand-Ruel inquiètent suffisamment Monet pour qu'il envisage de traiter directement avec les acheteurs, il reconnaît toutefois : «Parce que je me rends compte du chemin parcouru et de la situation à laquelle je suis arrivé grâce à vous, [...] je m'épouvante et me désole à la pensée de recommencer cette chasse à l'amateur» (à Durand-Ruel, 18 mai 1884).

Soucieux d'écouler sa production, Monet participe à plusieurs «Expositions internationales» organisées chaque année par Georges Petit. Il tente de convaincre Durand-Ruel que lui-même bénéficierait aussi des succès obtenus chez un concurrent. L'artiste se partage donc entre les deux marchands, ce qu'illustre l'«Exposition des XX» de 1886 à Bruxelles, où les œuvres de Monet sont prêtées surtout par Petit et Durand-Ruel.

Le peintre se montre fortement réticent aux démarches effectuées par Durand-Ruel outre-Atlantique : «Je veux bien croire à vos espérances en Amérique, mais je voudrais bien et surtout faire connaître et vendre mes tableaux ici» (23 janvier

L'enthousiasme ressenti par Monet en Hollande transparaît dans les propos que lui prête le duc de Trévise («Le Pèlerinage de Giverny», 1927) : «Vous n'aimez pas les champs de tulipes, vous les trouvez trop réguliers? Moi je les admire, et quand on cueille les fleurs avancées, qu'on les entasse et que, tout à coup, sur les petits canaux, on voit comme des radeaux de couleurs, des taches jaunes arrivant dans le reflet bleu du ciel...» : un effet perceptible ici (*A Sassenheim près de Haarlem, champ de tulipes*, en bas et détails en haut). La matière est très travaillée et l'ondulation des tulipes sous le vent est recréée par de rapides coups de pinceau.

Au fil des pages du *carnet d'adresses de Monet* (au centre) apparaissent les noms de ceux qui accompagnent son existence, amis et collectionneurs, tels Faure, Caillebotte, le docteur de Bellio, ou marchands, comme Théo Van Gogh et Georges Petit. C'est dans la galerie Petit qu'est présentée dès juin 1886 cette version du *Champ de tulipes.*

1886); une quarantaine de toiles de l'artiste figurent cependant à l'exposition des «Œuvres à l'huile et au pastel des Impressionnistes de Paris» qui se tient en 1886 à New York. Grâce sans doute à l'appui de Mary Cassatt et de John Sargent, la manifestation remporte un certain succès auprès des critiques américains.

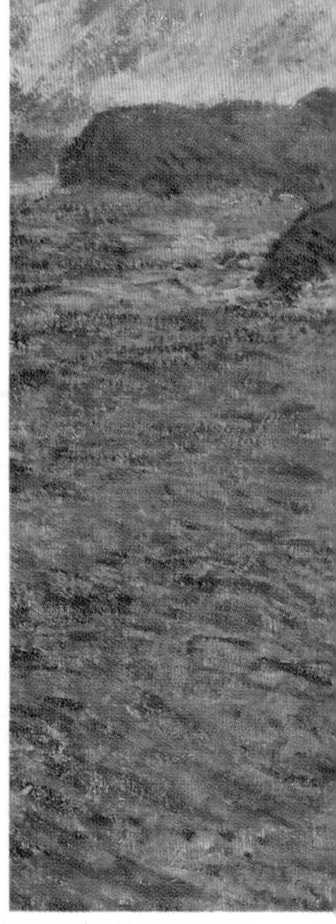

«La mer est de toute beauté, quant aux rochers, c'est un amas de grottes, de pointes, d'aiguilles extraordinaires» (à Alice Hoschedé, 18 septembre 1886)

«Très désireux d'aller en Bretagne», selon le souhait exprimé dans une lettre à Berthe Morisot, Monet se rend à l'automne 1886 à Belle-Ile, dans le golfe du Morbihan. Il s'installe chez un pêcheur au hameau de Kervilahouen, près de la côte occidentale de l'île, orientée vers le large et dite «sauvage» : cette partie de Belle-Ile, la plus caractéristique, inspire au peintre

une quarantaine de toiles réparties en plusieurs groupes selon le lieu et le temps (pluie, tempête…).

Là aussi, comme pour les œuvres antérieures, il est prématuré de parler de «série» puisque Monet change à chaque fois son point de vue pour obtenir des cadrages tous différents. Cependant, l'idée progresse inconsciemment dans son esprit : «Pour peindre vraiment la mer, il faut la voir tous les jours à toute heure et au même endroit pour en connaître la vie à cet endroit-là; aussi je refais les mêmes motifs jusqu'à quatre et six fois» (à Alice Hoschedé, 30 octobre). Ce séjour breton lui offre l'occasion d'employer d'instinct et de manière désordonnée un moyen d'approche du motif qu'il transformera plus tard en un procédé étudié et systématique.

A Belle-Ile, Monet fait la connaissance de Gustave Geffroy, le critique du journal *La Justice*, qui devient l'un de ses ardents défenseurs. Il a la visite d'Octave Mirbeau, qui le reçoit à son tour à Noirmoutier.

“ Je suis dans un pays superbe de sauvagerie, un amoncellement de rochers terrible et une mer invraisemblable de couleurs; enfin je suis très emballé quoique ayant bien du mal, car j'étais habitué à peindre la Manche et j'avais forcément ma routine, mais l'Océan c'est tout autre chose. ”

A Caillebotte, 11 octobre 1886.

Ce premier contact avec l'Atlantique déroute profondément le peintre de la côte normande. Il représente plusieurs sites de Belle-Ile, dont les aiguilles spectaculaires ou *Pyramides de Port-Coton* (page de gauche en haut et photographie en bas) et la baie de Port-Domois avec la Roche Guibel. Cette roche percée figure sur la toile donnée à Rodin, *Belle-Ile* (ci-contre). La ligne d'horizon est souvent placée très haut : Monet s'intéresse à la lutte incessante que livrent la terre et l'eau sur cette côte déchiquetée, et il tire parti de l'opposition de couleur et du contraste de matière entre les masses rocheuses et la mer parsemée d'écume.

“ Monet travaille dans le vent et dans la pluie. […] Son chevalet est amarré avec des cordes et des pierres. ”

Geffroy, *Cl. Monet…*

«Après Belle-Ile terrible, ça va être du tendre; ce n'est ici que du bleu, du rose et de l'or» (à Duret, 10 mars 1888)

Les premiers mois de l'année 1888 se passent sur la côte méditerranéenne. Sur la recommandation de Maupassant, qu'il rencontre à Cannes, Monet réside au château de la Pinède à Antibes, une pension pour artistes qui abrite en même temps «le père Harpignies». Il exécute alors une trentaine d'œuvres : «Je m'escrime et lutte avec le soleil. [...] Il faudrait peindre ici avec de l'or et des pierreries» (à Rodin, 1er février 1888), selon une image que lui avait déjà suggérée Bordighera. Si certains sujets peuvent former de petits groupes de deux ou trois toiles, aucun motif ne donne lieu à l'apparition d'une véritable «série».

Dès juin, Monet vend une dizaine de paysages à Théo Van Gogh, le frère de Vincent, qui travaille pour le compte de la maison Boussod-Valadon (anciennement Goupil). Dans la salle annexe de la

galerie (19, boulevard Montmartre), Théo expose les «dix marines d'Antibes», ainsi baptisées par Félix Fénéon dans *La Revue indépendante* de juillet. Si elle est l'objet de quelques réticences de la part de Fénéon et de Pissarro, alors rallié aux théories néo-impressionnistes, l'exposition remporte un grand

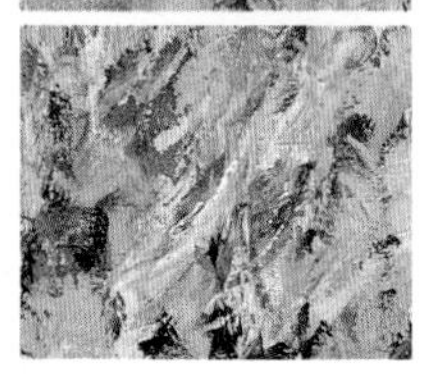

Pour traduire la lumière méditerranéenne, l'artiste compose sa palette avec des tons délicats qui évoquent le pastel. Sur cette toile peinte librement, *Antibes vue du cap* (à gauche et détails ci-dessus), la touche restitue le souffle du mistral sur la végétation.

succès, notamment auprès de Maupassant, Mallarmé et Geffroy. Berthe Morisot révèle l'effet produit par ces œuvres de Monet : «Vous l'avez bien conquis, vous, ce public récalcitrant. On ne rencontre chez Goupil que des gens admiratifs au dernier point, [...] c'est un éblouissement!» (lettre non datée).

Fort d'avoir trouvé un nouvel acheteur, Monet refuse de participer à l'exposition de groupe ouverte le 25 mai dans la galerie parisienne de Durand-Ruel, dont il désapprouve toujours les efforts accomplis aux Etats-Unis en faveur de sa peinture.

«Je peins la ville d'Antibes, une petite ville fortifiée toute dorée par le soleil, se détachant sur de belles montagnes bleues et roses» (20 janvier 1888). Monet obtient ici un effet panoramique sur la vieille ville qui se profile dans le lointain : *Antibes vue de la Salis* (en bas et photographie).

La vallée de la Creuse

«Me voici encore aux prises avec les difficultés d'un pays nouveau. C'est superbe ici, d'une sauvagerie terrible qui me rappelle Belle-Ile. [...] Je croyais que j'allais y faire des choses étonnantes, mais hélas, plus je vais, plus j'ai de mal à rendre ce que je voudrais», confie Monet à Berthe Morisot le 8 avril 1889. Parmi la vingtaine d'œuvres inspirées par la Creuse, des groupes de deux ou trois toiles peuvent être distingués mais, pour la première fois, apparaît un ensemble plus important qui en comprend neuf. Après les *Débâcles* à Vétheuil, les *Falaises* de Varengeville, les *Champs de tulipes* en Hollande, les marines de Belle-Ile et d'Antibes, qui constituaient une approche inconsciente et progressive du traitement d'un motif en «série», il semble qu'avec ces neuf vues du ravin de la Creuse l'idée soit maintenant parvenue à son terme. Le nombre de versions exécutées d'après un motif se présentant presque rigoureusement de manière identique s'est soudain considérablement accru; seules importent les variations d'éclairage. L'ensemble de ces neuf paysages pourrait donc bien mériter véritablement le nom de «série», mot employé par l'artiste lui-même : «Avec ce sacré temps par trop sinistre, [...] je suis terrifié en regardant mes toiles de les voir si sombres; avec cela plusieurs sont sans aucun ciel. Ça va être une série lugubre» (à Alice Hoschedé, 4 avril 1889).

Dans une lettre datée du 24 avril, Monet confie à Geffroy les difficultés rencontrées pour rendre ce paysage et qui sont dues à la saison : «Je suis obligé à des transformations continuelles, car tout pousse et verdit. Bref, à force de transformations, je suis la nature sans pouvoir la saisir, et puis, cette rivière qui baisse, remonte, un jour verte, puis jaune, tantôt à

« Monet s'arrêta longtemps à contempler les eaux basses et écumantes qui se rencontraient à travers des roches sur un lit de cailloux. [...] Les collines pierreuses formaient un cirque sombre au combat des eaux. Le spectacle était farouche, d'une tristesse infinie. »

Geffroy, *Cl. Monet...*

Sur les neuf toiles peintes au confluent de la Grande et de la Petite Creuse, la terre et la rivière se partagent l'espace. Ces œuvres diffèrent surtout par l'éclairage, selon le moment de la journée. Ici, les dernières étapes de la course du soleil : le *Ravin de la Creuse au déclin du jour* (ci-dessus), *Effet du soir* (à droite, en haut), *Soleil couchant* (en bas). Un choix audacieux de couleurs restitue les effets de lumière propres à cette heure.

sec, et qui demain sera un torrent.» Toujours depuis Fresselines, il écrit à Georges Petit le 21 avril : «La grande affaire pour moi c'est de pouvoir être prêt à temps.»

L'artiste ne cesse de penser à cette exposition à l'occasion de laquelle peintures de Monet et sculptures de Rodin vont se partager la galerie du marchand, rue de Sèze.

«Ce sont eux qui, dans ce siècle, incarnent le plus glorieusement, le plus définitivement, ces deux arts : la peinture et la sculpture» (Octave Mirbeau, *L'Echo de Paris,* 25 juin 1889)

Très admiratif de Rodin, Monet tient à exposer avec cet artiste au talent officiellement reconnu : «*Rien que vous et moi*, [...] nous pourrions faire quelque chose de bien à nous deux» (à Rodin, 28 février 1889). Le catalogue comprend cent-quarante-cinq numéros pour Monet, trente-six pour Rodin; la préface sur Monet est signée par Mirbeau, alors que Rodin est présenté par Geffroy. Le sculpteur est surtout préoccupé par son groupe des *Bourgeois de Calais,* qu'il montre pour la première fois, tandis que Monet développe une rétrospective de vingt-cinq années de travail, avec des œuvres qui s'échelonnent de 1864 à 1889 : «Un résumé de l'existence de peintre de Claude Monet» (Geffroy, *La Justice,* 21 juin 1889). Malgré quelques critiques, la presse se montre plutôt favorable.

A l'ouverture de l'exposition, le 21 juin, Monet écrit à Georges Petit : «J'ai pu constater [...] que mon panneau du fond [...] est absolument perdu depuis le placement du groupe de Rodin.

«Le mal est fait, [...] c'est désolant pour moi. [...] Si Rodin avait compris qu'exposant tous deux nous devions nous entendre pour le placement, [...] s'il avait

GALERIE GEORGES PETI

8, rue de Sèze, 8

CLAUDE MON

A. RODIN

PARIS

1889

Voir son nom uni à celui de Rodin : ce souhait qui habite Monet depuis plusieurs mois se trouve enfin exaucé sur la couverture du catalogue de l'exposition de 1889 (ci-dessus).

Rodin (ci-contre photographié vers 1887) et ses *Bourgeois de Calais*.

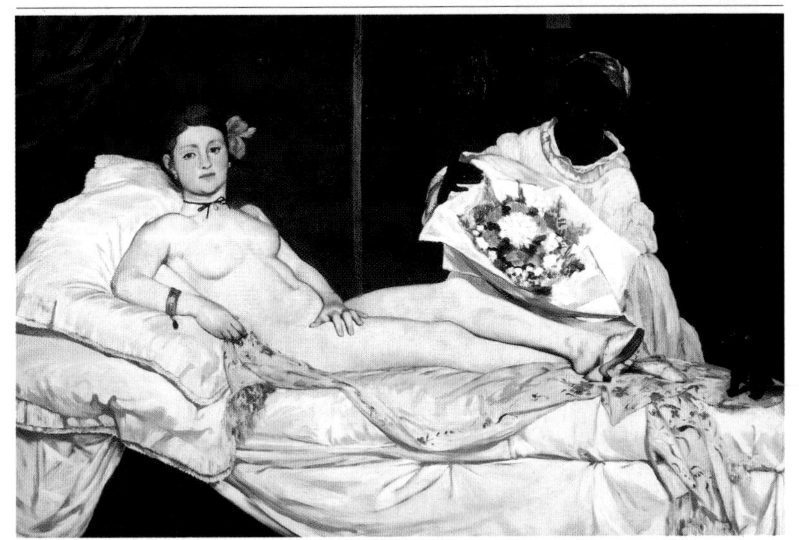

compté avec moi, et fait un peu de cas de mes œuvres, il eût été bien facile d'arriver à un bel arrangement sans nous nuire. […] Je n'aspire qu'à une chose, c'est prendre le chemin de Giverny et y trouver le calme.» L'incident est évité de justesse entre ces deux grands tempéraments d'artistes «apparus» curieusement à deux jours d'intervalle (Rodin est né le 12 novembre 1840 et Monet le 14).

“ Monsieur le Ministre, Au nom d'un groupe de souscripteurs, j'ai l'honneur d'offrir à l'Etat l'*Olympia* d'Edouard Manet. ”
A Armand Fallières, 7 février 1890

La souscription pour l'*Olympia* de Manet

Trois œuvres de Monet avaient figuré à l'«Exposition centennale de l'art français», ouverte en mai à l'occasion de l'Exposition universelle de 1889. Y était aussi accrochée l'*Olympia* de Manet, qui avait fait scandale au Salon de

1865. Monet décide alors d'organiser une souscription «entre amis et admirateurs de Manet, pour acheter son *Olympia* et l'offrir au Louvre. C'est un bel hommage à rendre à sa mémoire et c'est en même temps une façon discrète de venir en aide à sa veuve, à laquelle ce tableau appartient» (à Rodin, 25 octobre 1889). Berthe Morisot, belle-sœur d'Edouard Manet, souligne à Monet : «Vous seul, avec votre nom, votre autorité, pouvez enfoncer les portes si elles sont enfonçables.»

Cette campagne se heurte à l'opposition d'Antonin Proust, ancien ministre des Beaux-Arts : «Ce Proust est un joli coco. [...] Je lui écris son fait et puisque la guerre est déclarée nous allons lutter jusqu'au bout» (à Berthe Morisot, 22 janvier 1890). finalement, Monet parvient à faire accepter l'*Olympia* par l'Etat pour le musée du Luxembourg – le transfert au Louvre ne sera accompli qu'en 1907, grâce à l'intervention de Clemenceau.

Monet peut reprendre ses pinceaux, et il écrit à Berthe Morisot le 11 juillet : «Cette satanée peinture me torture. [...] Je sais bien qu'étant resté longtemps sans rien faire, il fallait m'attendre à cela.»

«J'ai la nostalgie de Giverny»

Durant ses voyages, l'artiste ne cesse de penser à Giverny, au jardin, à ceux qu'il a laissés derrière lui : ses fils Jean et Michel, sa compagne Alice, sans oublier les enfants Hoschedé : «Je serai bien heureux de revenir reprendre ma vie de campagne. Il me semble que j'aurai un plaisir énorme à peindre là-bas» (à Alice, Bordighera, 12 février 1884). L'attachement du peintre à cet univers, point d'ancrage devenu irremplaçable, s'exprime dans ses

Plusieurs œuvres de Monet montrent les filles Hoschedé en bateau sur l'Epte : ici (en haut, à gauche), une *Etude de barque* dessinée dans un carnet de croquis et, ci-dessus, *La Barque à Giverny* (vers 1887), désignée par le peintre du nom de l'embarcation, *En Norvégienne*. La rivière dédouble les figures : Germaine (debout), Suzanne et Blanche se détachent sur le feuillage comme sur une tapisserie. La végétation est encore davantage présente sur une toile contemporaine d'où le ciel est à nouveau absent : *La Barque* (à gauche), vide, est rejetée dans un angle pour laisser place aux herbes aquatiques.

“ Je travaille comme jamais, et à des tentatives nouvelles, des figures en plein air comme je les comprends, faites comme des paysages. C'est un rêve ancien qui me tracasse toujours. ”

A Duret, 13 août 1887

A Vétheuil et pendant ses voyages, Monet a abandonné la représentation des personnages. Dans les années 1885, et pour la dernière fois, l'artiste reprend l'insertion de la figure humaine dans le paysage : il traite le thème en paysagiste et en impressionniste, s'intéressant surtout à l'enveloppe lumineuse qui entoure le modèle. En 1886, Suzanne Hoschedé apparaît dans ces deux versions de la *Femme à l'ombrelle tournée vers la droite* (ci-contre, à gauche) et *vers la gauche* (ci-contre, à droite). L'artiste transpose le caractère d'instantanéité de la vision s'imposant à ses yeux. L'ombrelle répartit la lumière; l'écharpe qui vole, le mouvement de la robe, les herbes inclinées révèlent le souffle du vent. A la marche de la jeune femme, que le peintre est allé jusqu'à dépersonnaliser, répond celle des nuages. Monet donne à ces pendants le titre suggestif d'*Essais de figures en plein air.*

lettres et transparaît dans les œuvres. Ainsi, à la fin du catalogue de l'exposition «Monet-Rodin», Monet avait choisi de regrouper quatre peintures exécutées à Giverny (dont *En Norvégienne*) sous le titre significatif d'*Essais de figures en plein air*. Il y représente les filles Hoschedé, celles qu'il appelle «mes jolis modèles» (à Berthe Morisot, 11 juillet 1890). Ces «éblouissantes figures de Giverny», selon l'expression d'Octave Mirbeau, évoquent ce monde créé par l'artiste et où s'opère cette fusion si réussie entre sa vie intime et sa peinture. Sensible à cet art de

vivre à l'écart de tout artifice, Mirbeau eut à cœur de souligner, dans la préface au catalogue, le bonheur éprouvé par le peintre au milieu des siens : «Paris, avec ses fièvres, ses luttes, ses intrigues qui broient les volontés et détruisent les courages, ne pouvait convenir à un contemplateur obstiné, à un passionné de la vie des choses. Il habite la campagne dans un paysage choisi, en constante compagnie de ses modèles; et le plein air est son unique atelier. […] Et c'est là que, loin du bruit, des coteries, des jurys, des esthétiques et des hideuses jalousies, il poursuit la plus belle, la plus considérable parmi les œuvres de ce temps.»

Suzanne se découpant en plein ciel sur le talus, à l'embouchure de l'Epte, aurait-elle rappelé à Monet la composition similaire inspirée en 1875 par Camille accompagnée de leur fils Jean, *La Promenade* (ci-dessus)? Les deux toiles de 1886 évoqueraient alors le souvenir de son épouse disparue : le peintre se serait d'autant plus laissé prendre par l'impression ressentie qu'il a à peine esquissé les traits de Suzanne.

Monet exécute un dessin d'après la *Femme à l'ombrelle tournée vers la gauche* pour illustrer un article que lui consacre Mirbeau le 7 mars 1891 dans *L'Art dans les deux Mondes*.

« Je m'entête à une série d'effets différents (des meules). Plus je vais, plus je vois qu'il faut beaucoup travailler pour arriver à rendre ce que je cherche : l'instantanéité, les choses faciles venues d'un jet me dégoûtent. Enfin, je suis de plus en plus enragé du besoin de rendre ce que j'éprouve, et fais des vœux pour vivre encore pas trop impotent, parce qu'il me semble que je ferai des progrès. »

A Gustave Geffroy, 7 octobre 1890

CHAPITRE VI

« MEULES », « PEUPLIERS », « CATHÉDRALES »... LA DÉCENNIE DES SÉRIES

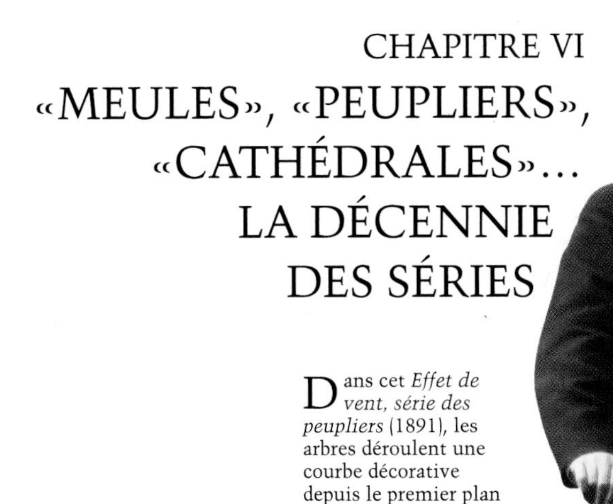

Dans cet *Effet de vent, série des peupliers* (1891), les arbres déroulent une courbe décorative depuis le premier plan en haut jusqu'à l'arrière-plan en bas.

Après la césure due à la campagne de souscription pour l'*Olympia*, Monet se remet au travail. Son art manifeste une nouvelle orientation, prévisible depuis quelque temps déjà : désormais l'artiste ne peint plus que très rarement des compositions isolées, et les toiles exécutées au cours des six derniers mois de l'année 1890 (*Champs aux coquelicots* et *Meules*) révèlent toutes l'application du procédé des séries.

Les *Meules* : un triomphe qui scelle la réconciliation avec Durand-Ruel

Composée de plus d'une vingtaine de versions, la série consacrée aux *Meules* à Giverny a pu être considérée comme la première. Dès les premiers mois de 1891, la maison Boussod-Valadon achète à l'artiste trois toiles à 3 000 francs pièce. Depuis les incidents de 1888, les rapports de Monet avec Durand-Ruel s'étant rétablis, le peintre lui demande à plusieurs reprises l'argent nécessaire pour terminer de payer l'achat de la propriété de Giverny; le 15 décembre 1890, il lui annonce, sans doute pour éveiller encore davantage son intérêt : «Je vous réserve des toiles, mais n'ai pu tout garder : Valadon est venu me voir

Monet peint différentes versions des *Champs aux coquelicots* (1890, ci-dessus et détail à droite) dans les prés des Essarts, non loin de sa maison, là même où Clemenceau l'aurait vu travailler «à la poursuite des distillations de la lumière qui change à tout moment l'aspect des choses». Les coquelicots rappellent la toile exécutée à Argenteuil en 1873 tandis que les peupliers, qui fermaient l'horizon des scènes de *Débâcles* (1880), se retrouvent maintenant isolés ou disposés en rideau à l'arrière-plan.

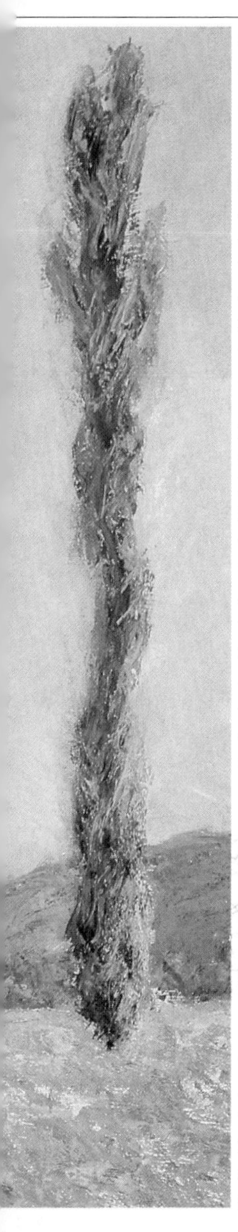

dernièrement, il en a pris plusieurs et c'est à grand-peine que j'ai pu garder les *Meules.*»

Une lettre de Pissarro atteste le succès immédiat rencontré par la série : «On ne demande que des Monet, il paraît qu'il n'en fait pas assez. Le plus terrible c'est que tous veulent avoir des *Meules au soleil couchant.* [...] Tout ce qu'il fait part pour l'Amérique à des prix de quatre, cinq, six mille francs» (à son fils Lucien, 3 avril 1891).

Dans la galèrie Durand-Ruel, en mai, quinze versions des *Meules* sont présentées au public parisien lors de l'exposition d'«Œuvres récentes de Cl. Monet». Le catalogue est préfacé par l'ami Geffroy. Les louanges émanent alors de Pissarro : «Cela m'a paru très lumineux et très maître, c'est incontestable. [...] Les couleurs sont plutôt jolies que fortes, le dessin est beau mais flottant, dans les fonds surtout. C'est égal, c'est un bien grand artiste ! Inutile de te dire que c'est un grand succès; c'est tellement séduisant que, franchement, ce n'est pas étonnant. Ces toiles respirent le contentement» (5 mai 1891).

❝ Quand je vis Monet, avec ses quatre toiles devant son champ de coquelicots, changeant sa palette à mesure que le soleil poursuivait sa course, j'eus le sentiment d'une étude d'autant plus précise de la lumière que le sujet, supposé immuable, accusait plus fortement la mobilité lumineuse. C'était une évolution qui s'affirmait, une manière nouvelle de regarder, de sentir, d'exprimer : une révolution. De ce champ de coquelicots, bordé de ses trois peupliers, date une époque de notre histoire dans la sensation comme dans l'expression des choses. Les *Meules*, les *Peupliers* suivirent. ❞

Clemenceau, «Révolution de Cathédrales», *La Justice*, 20 mai 1895

Etude préparatoire au crayon pour les *Meules* (vers 1890).

Les *Meules* en été comme en hiver...

Alors qu'il prend la décision d'acquérir la maison qu'il habite, renonçant pour un temps aux voyages, Monet exprime son attachement pour Giverny en s'adonnant avec passion à la représentation des meules aux alentours de sa propriété : ainsi *Meules, fin de l'été, effet du matin* (1890, en haut à gauche et détails à droite) et *Meule, effet de neige, le matin* (1890-1891, en bas à gauche et détails à droite). Il les observe sous différents angles, mais le nombre et la similitude des compositions permettent de désigner cet ensemble comme la première véritable série, appellation justifiée aussi par l'objectif unique du peintre : les meules constituent un motif privilégié pour l'étude des formes dans la lumière. Plusieurs sous-séries peuvent être distinguées selon qu'y figurent une ou deux meules, ou bien selon le rapport qui s'établit entre les deux meules, tantôt séparées (comme ici en haut), tantôt si proches que l'une cache l'autre.

Meule, effet de neige, temps couvert (1890-1891, page suivante).

Claude Monet

... de l'aube au crépuscule

« A cette époque le soleil décline si vite que je ne peux le suivre», écrit l'artiste à Geffroy le 7 octobre 1890, au moment où il peint ces *Meules, fin de l'été, effet du soir* (en haut à gauche et détails à droite). Puis c'est cette autre *Meule, dégel, soleil couchant* (1890-1891, en bas à gauche et détails à droite). Le peintre saisit des «effets» éphémères qui varient aux différentes heures du jour, en fonction du temps et tout au long des saisons, depuis la fin de l'été (en haut) jusqu'à l'hiver (en bas). Toutes les versions des *Meules* reflètent la position du soleil à l'«instant» donné : elle est indiquée par la direction et l'allongement variable des ombres portées sur le sol, colorées souvent de bleu ou de mauve. Monet joue avec la lumière et utilise les ressources du contre-jour.

❝ Vous m'avez ébloui récemment avec ces *Meules*, Monet, tant! que je me surprends à regarder les champs à travers le souvenir de votre peinture; ou plutôt ils s'imposent à moi tels. ❞

Mallarmé à Monet, juillet 1890

Monet consacre le printemps, l'été et l'automne 1891 aux *Peupliers*

Au bord du marais de Limetz, sur la rive gauche de l'Epte en amont de Giverny, Monet applique la démarche de l'étude en série au motif des peupliers. Le 8 octobre, il se rend propriétaire de l'île aux Orties, où il amarre l'embarcation qu'il utilise parfois pour peindre. Alors que l'artiste est en pleine campagne de travail, le terrain communal du marais de Limetz est mis en adjudication : afin d'éviter que les peupliers ne soient abattus avant qu'il ait pu terminer ses œuvres, Monet n'hésite pas à verser une somme d'argent au marchand de bois qui s'en porte acquéreur.

A l'exemple des *Meules*, cette série d'une vingtaine de compositions connaît un succès immédiat. Dès janvier 1892, Maurice Joyant, qui a remplacé Théo Van Gogh dans la maison Boussod-Valadon, achète quelques toiles et leur consacre une petite exposition dans la galerie annexe du boulevard Montmartre. En mars, Durand-Ruel présente une quinzaine de versions des *Peupliers* (il en avait acquis sept à 4 000 francs pièce). C'est la première fois qu'une série est exposée seule comme un tout. Le public lui réserve un excellent accueil : «Je suis très satisfait de ce que vous me dites de mon exposition. Il me revient

du reste, de différents côtés, que l'effet produit a été assez grand» (à Durand-Ruel, 22 mars).

Puis, «trouvant absolument néfaste et mauvais pour un artiste de vendre à un seul marchand», Monet refuse à nouveau l'exclusivité à Durand-Ruel tout en lui exprimant des exigences révélatrices de l'aisance à laquelle il est parvenu : «Je veux du reste, désormais, ne plus vendre mes toiles d'avance, je les veux finir d'abord, et sans me presser, et choisir au bout d'un certain temps quelles sont celles que je vendrai.»

Présents à l'arrière-plan des *Champs aux coquelicots* et parfois des *Meules*, les peupliers deviennent un sujet à part entière. Le peintre les étudie sous différents éclairages au fil des saisons : ainsi, pour *Les Peupliers, trois arbres roses, automne* (1891, ci-contre et détails à gauche), la palette a été préparée avec du rose. Il joue avec les sinuosités de l'Epte, que ces arbres épousent fidèlement, pour exécuter, probablement depuis un bateau, des compositions rythmées et décoratives, construites d'après des lignes courbes contrebalancées par les verticales des troncs : elles expriment son sens de l'espace et sa science de l'étagement des différents plans. Ici, trois arbres au premier plan se reflètent sur la rivière et s'élèvent vers le ciel. Monet utilise surtout les toiles en hauteur pour mettre en valeur la ligne élancée et la forme élégante des peupliers. Aux *Meules* faisant corps avec la terre répondent les *Peupliers* qui s'inscrivent dans le ciel.

Alice Hoschedé... Alice Monet

L'importance croissante du lien qui unit l'artiste à Alice Hoschedé apparaît dans ses lettres quotidiennes durant ses voyages. De Bordighera : «Mon cœur est à Giverny toujours et toujours, [...]

❝ Quelle belle chose, les trois arrangements des peupliers le soir, que c'est peintre et si ornemental! ❞

Pissarro à Monet, 9 mars 1892

vous êtes toute ma vie avec mes enfants, [...] il n'y a pas de bonheur pour moi qu'avec vous et je le voudrais plus complet» (26 janvier et 1er février 1884). D'Antibes : «Vous avez en moi un cœur qui vous aime, un appui sur lequel vous pouvez toujours compter» (26 janvier 1888). Enfin cette déclaration depuis Fresselines : «Mon seul souci, ma vie, c'est l'Art et vous» (28 avril 1889). Un an après le décès d'Ernest Hoschedé, Monet met fin à la situation familiale ambiguë qui était la sienne depuis plusieurs années : il épouse Alice le 16 juillet 1892. Quatre jours plus tard, il peut conduire à l'autel sa belle-fille Suzanne Hoschedé, le modèle de la *Femme à l'ombrelle*, qui se marie dans l'église de Giverny.

«Que cette mâtine de cathédrale est donc dure à faire!» (à Alice Monet, 22 février 1893)

Le procédé des séries devient véritablement systématique avec les *Cathédrales*, lorsque Monet

La série des *Cathédrales* offre la démonstration la plus spectaculaire de la volonté éprouvée par Monet de traduire l'instantanéité : les nombreuses versions correspondent à une sensibilité chaque jour plus vive aux variations atmosphériques. A l'encontre des *Meules* et *Peupliers*, le motif, toujours identique, est montré quasiment sous le même angle de vue, ce qui rend davantage perceptible la modification des formes sous l'emprise de l'évolution de l'éclairage.

plante son chevalet face à la façade occidentale de l'édifice rouennais; bien que les toiles portent la date de 1894, elles ont toutes été peintes au cours de deux campagnes, en 1892 et 1893 (chaque fois de février à la mi-avril), à partir de trois emplacements légèrement différents, puis terminées en atelier à Giverny. Les lettres du peintre à son épouse révèlent sa manière de travailler et son acharnement à traiter ce motif – il en exécute trente versions. «Chaque jour j'ajoute et surprends quelque chose que je n'avais pas encore su voir. Quelle difficulté, mais ça marche. [...] Je suis rompu, je n'en peux plus, et [...] j'ai eu une nuit remplie de cauchemars : la cathédrale me tombait dessus, elle semblait bleue ou rose ou jaune» (3 avril 1892).

Conscient de la valeur et de l'originalité de cette série, Monet se livre à un affreux chantage auprès de Durand-Ruel, traitant en même temps avec la maison Boussod-Valadon et avec Maurice Joyant. Il exige la

De gauche à droite, *La cathédrale de Rouen, le portail et la tour Saint-Romain : effet du matin, harmonie blanche; effet du soleil, fin de journée; soleil matinal, harmonie bleue; symphonie en gris et rose* (1892-1893). L'architecture n'est pas étudiée pour elle-même, mais seulement comme un support aux recherches picturales : pour suggérer la matière du motif traité, la pierre, l'artiste utilise une facture rugueuse qui accroche la lumière et restitue les vibrations sous le soleil.

somme de 15 000 francs par toile – somme qui est finalement rabaissée à 12 000 francs.

Vingt versions des *Cathédrales* sont présentées à l'exposition de ses «Œuvres récentes» dans la galerie Durand-Ruel, en mai 1895. L'importance de la démarche artistique de Monet n'échappe pas aux peintres et écrivains de son temps. Dans son *Journal*, Signac cite ces «murailles merveilleusement exécutées»; Pissarro souligne l'intérêt de la série : «J'y trouve une unité superbe que j'ai tant cherchée» (à Lucien, 1er juin 1895). Parmi les éloges parus dans la presse, celui auquel Monet se montre le plus sensible est le long article publié par Clemenceau dans *La Justice* du 20 mai 1895, sous le titre «Révolution de Cathédrales».

«Des effets de neige absolument stupéfiants»

Pendant deux mois de l'hiver 1895, Monet s'installe à quinze kilomètres de Christiania (Oslo), près du village de Sandviken, et, au milieu de «cette immensité blanche», le *Mont Kolsaas* lui inspire une nouvelle série : «Il est impossible de voir de plus beaux effets qu'ici. Je parle des effets de neige qui sont absolument stupéfiants, mais d'une difficulté inouïe» (à Blanche Hoschedé, 1er mars 1895). A la fin de son séjour, l'artiste reçoit les félicitations de plusieurs artistes, dont le paysagiste Thaulow et le prince Eugène de Suède, lui-même peintre. En mai, en même temps que vingt versions des *Cathédrales*, le public parisien découvre à la galerie Durand-Ruel huit paysages norvégiens.

Des paysages de sa jeunesse traités en séries

A l'âge de cinquante-cinq ans, Monet éprouve le désir de retrouver les lieux d'antan. Il retourne travailler seul, les hivers de 1896 et 1897, à Pourville et Varengeville. Lors de cette dernière campagne, une dizaine de peintures sont consacrées à un ancien poste de douane, situé sur la falaise du Petit-Ailly, qui sert alors de «maison de pêcheur», selon le titre donné par Monet à certaines des œuvres où il figure. La «petite maison» y est étudiée à différentes heures, selon le principe des séries. Le 1er juin 1898, s'ouvre à

Supplément au Journ

Le G

A LA GALERI

EXPOSITIO

« Je suis entré chez Durand-Ruel pour revoir à loisir les études de la cathédrale de Rouen dont j'avais eu la joie dans l'atelier de Giverny, et voilà que cette cathédrale aux multiples aspects, je l'ai emportée avec moi, sans savoir comment. Je ne puis m'en débarrasser. Elle m'obsède. [...] Avec vingt toiles, d'effets divers justement choisis, le peintre nous a donné le sentiment qu'il aurait pu, qu'il aurait dû en faire cinquante, cent, mille, autant qu'il y aurait de secondes dans sa vie, si sa vie durait autant que le monument de pierre. [...] L'œil de Monet, précurseur, nous devance et nous guide dans l'évolution visuelle qui rend plus pénétrante et plus subtile notre perception de l'univers. »

Clemenceau, «Révolution de Cathédrales», *La Justice*, 20 mai 1895

LE GAULOIS du 16 Juin 1898

aulois

GEORGES PETIT

CLAUDE MONET

la galerie Georges Petit une exposition particulière où sont présentées les toiles rapportées de Normandie, ainsi qu'un groupe de peintures exécutées à Giverny, les *Matinées sur la Seine*.

Les œuvres peintes à Vétheuil en 1900 répondent également à cette volonté du peintre d'appliquer une technique récemment mise au point à des motifs liés à son passé : Monet y travaille jusqu'à l'exposition «Œuvres récentes de Pissarro et nouvelle série de Monet (Vétheuil)» à la galerie Bernheim-Jeune

Quinze années après *La Maison du pêcheur, Varengeville* (1882, en haut), cette *Falaise à Varengeville* (1897) est interprétée librement et avec une palette encore plus lumineuse : Monet évolue vers un art décoratif qui frôle l'abstraction.

– c'est l'apparition d'un nouveau marchand pour le peintre – qui se tient en février 1902.

«Je trouve Londres chaque jour plus beau à peindre» (à Blanche Hoschedé-Monet, 4 mars 1900)

Autre pèlerinage entrepris sur les lieux de sa jeunesse, les trois séjours à Londres – en automne 1899, février 1900 et février-avril 1901 – correspondent au souhait déjà ancien d'«essayer d'y peindre quelques effets de brouillard sur la Tamise» (à Duret, 25 octobre 1887). Seuls les ponts de Charing-Cross et de Waterloo et le Parlement retiennent l'attention du peintre : les deux ponts sont peints depuis sa chambre à l'hôtel Savoy et le Parlement depuis l'hôpital Saint-Thomas. Mais ce qui intéresse surtout Monet, c'est de restituer l'effet particulier du *fog* sur la ville, «un brouillard superbe», comme il l'écrit à Alice le 24 février 1900.

Fidèle à sa manière de travailler, Monet termine ses œuvres londoniennes (une centaine) en atelier à Giverny, et il réitère l'expérience tentée avec les *Peupliers* : présentées seules,

Serie de V
1 La Tamise
2 " "
3 Charing
4 Passage de
5 Trains se
6 Fumées dans
7 Waterloo b
8 "
9 "
10 "
11 Effet de brou
12 " "
13 Waterloo br
14 " "
15 Soleil voil
16 Matin brum
17 Waterloo br
18 "
19 "
20 effet de soleil
21 Waterloo brid
22 Le soleil dans
23 Le soleil dans
24 Waterloo bri
25 Le soleil v
26 Le Parleme
27 " "
28 " "

trente-sept toiles sont exposées à la galerie Durand-Ruel en mai-juin 1904 sous le titre «série de *Vues de la Tamise à Londres (de 1900 à 1904)*»; la Tamise constitue le véritable lien entre les trois sous-séries des motifs londoniens.

«Je suis dans l'admiration de Venise» (à Durand-Ruel, 19 octobre 1908)

Après cette phase passagère de nostalgie, Monet est repris par son attirance pour de nouveaux paysages. D'octobre à décembre 1908 – il a alors soixante-huit ans –, il entreprend en compagnie d'Alice son dernier grand voyage qu'il consacre à Venise, la ville des peintres par excellence. Comme à Londres, il poursuit sa lutte avec l'architecture, l'eau et la lumière : la pierre des édifices

Londres, le Parlement : trouée du soleil dans le brouillard (à gauche) et *ciel orageux* (à droite, 1904). Prenant quelques libertés avec le motif, le peintre aplatit, amincit et étire en hauteur cette architecture néo-gothique qui surgit comme une apparition. Des tonalités qui rappellent l'*Impression, soleil levant*, et une atmosphère évoquant les visions de Turner et de Whistler. Rendue par une touche fragmentée, la Tamise est, avec la brume, davantage présente que le Parlement évanescent.

Liste établie par Monet pour son exposition de 1904 chez Durand-Ruel.

– ici les palais – est comme sacrifiée à l'étude de «cette lumière unique» (à Geffroy, 7 décembre 1908). Semblant ignorer l'important passé historique de la cité des Doges, l'artiste retient son aspect féerique et magique, celui-là même qui avait séduit Turner. Et c'est pourquoi ces toiles ont pu être rapprochées de la Venise intemporelle et imaginaire évoquée par Proust au long des pages de *A la recherche du temps perdu* : «Nous regardions la file des palais entre lesquels nous passions refléter la lumière et l'heure sur leurs flancs rosés, et changer avec elles» (*La Fugitive*).

Comme les *Vues de la Tamise*, les toiles vénitiennes sont terminées à Giverny au cours des années suivantes. En mai-juin 1912, la galerie Bernheim-Jeune présente vingt-neuf *Vues de Venise* réparties en plusieurs groupes (Grand Canal, San Giorgio Maggiore et différents palais). Au même moment, paraît un album illustré intitulé *Les «Venise» de Claude Monet*, accompagné d'une étude d'Octave Mirbeau. Le 31 mai, Signac exprime son admiration au peintre : «Ces *Venise*, [...] où tout concorde à l'expression de votre volonté, où aucun détail ne vient à l'encontre de l'émotion, où vous avez atteint à ce génial sacrifice, [...] je les admire comme la plus haute manifestation de votre art.»

CLAUDE MONET

"Venise"

Neuf reproductions de Tableaux
(un fac-simile et huit phototypies)
Avec une Préface
par
OCTAVE MIRBEAU

BERNHEIM-JEUNE & Cie
Experts près la Cour d'Appel
15, Rue Richepanse
25, Boulevard de la Madeleine
36, Avenue de l'Opéra
PARIS

«J'ai le spleen de Giverny. Tout doit être si beau par ce temps inouï» (à Alice, Rouen, 13 avril 1892)

Pendant toutes ces années, l'artiste ne cesse de penser à Giverny. Propriétaire depuis 1890, il embellit de jour en jour son jardin qu'il confond

Le Palais des Doges vu de San Giorgio Maggiore (1908) illustre le sens de l'espace du peintre : au premier plan, le quai de l'île San Giorgio avance dans la lagune tandis qu'apparaissent à fleur d'eau les façades de Venise. A gauche, *Le Palais Dario* (crayon sur papier).

désormais dans un même amour avec son art et les siens, en particulier Alice. De Rouen, Monet envoie des espèces choisies au Jardin des Plantes tandis que, depuis la Norvège, il promet de rapporter aux enfants «quelques spécimens de plantes» propres aux pays nordiques.

L'artiste adresse souvent des recommandations pour les fleurs à Alice; il lui écrit de Pourville le 18 mars 1896 : «Je songe à ce que je ferai à Giverny dès que le jardin sera fleuri.»

A la fin de son existence, le peintre ne quitte plus guère Giverny, où il trouve désormais son unique source d'inspiration.

❝ Mon enthousiasme pour Venise [...] n'a fait que croître et, le moment de quitter cette lumière unique approchant, je m'en attriste. C'est si beau. [...] Mais j'ai passé ici des moments délicieux, oubliant presque que je n'étais pas le vieux que je suis. ❞

A Gustave Geffroy, 7 décembre 1908

"Ça et là, à la surface, rougissait comme une fraise une fleur de nymphéa au cœur écarlate, blanc sur les bords tandis qu'un peu plus loin, pressées les unes contre les autres en une véritable plate-bande flottante, on eût dit des pensées des jardins qui étaient venues poser comme des papillons leurs ailes bleuâtres et glacées sur l'obliquité transparente de ce parterre d'eau; de ce parterre céleste aussi...»

Marcel Proust,
Du côté de chez Swann, 1913

CHAPITRE VII

LES «NYMPHÉAS» : L'ULTIME MESSAGE DU MAÎTRE DE GIVERNY

Un «effet de crépuscule» avec ces *Nymphéas* (1907) : une coulée de lumière éclaire les fleurs de nymphéas qui se referment. A droite, le peintre photographié par Sacha Guitry.

Un bassin «en vue d'une culture de plantes aquatiques, une chose d'agrément et pour le plaisir des yeux, et aussi un but de motifs à peindre» (au préfet de l'Eure, 17 mars et 17 juillet 1893)

A partir de 1890, Monet aménage un nouvel atelier et, tout en continuant à arranger son jardin fleuri, crée un second jardin appelé «jardin d'eau» : un bassin, enjambé par un pont, rappelle l'intérêt du peintre pour l'art japonais. Il apparaît dans la peinture de Monet dès 1895. Mais c'est véritablement à partir de 1898 que l'artiste lui consacre plusieurs toiles, datées souvent de 1899 ou de 1900. Comme pour les *Vues de Vétheuil* contemporaines, le format de ces différentes compositions se rapproche du carré. Le terme de *nymphéa*, employé pour ces peintures, et qui est désormais évocateur du nom de Monet, correspond en fait à l'appellation scientifique de la variété particulière du *nénuphar blanc*, auquel Mallarmé consacra en 1885 un poème en prose. Monet reprendra le motif du pont japonais dans les années 1920, mais la passerelle aura alors perdu sa

Parmi la dizaine de versions du *Bassin aux nymphéas* exposées en 1900 chez Durand-Ruel figure cette *Harmonie rose* (à gauche; ci-dessus détail d'un autochrome réalisé vers 1920 par Clémentel selon le procédé photographique mis au point par les frères Lumière). L'arrière-plan de la composition est occupé par des saules sur lesquels se détache le pont, inspiré peut-être des estampes d'Hokusaï. Puis le peintre abaisse son regard pour ne plus retenir que le plan d'eau, comme dans les *Nymphéas* peints vers 1907 (en bas à droite).

« Je travaille à force et voudrais tout peindre avant de n'y plus voir du tout. »

A Joseph Durand-Ruel, 7 juillet 1922

Ressentant les atteintes de la cataracte, l'artiste représente avec frénésie le monde de Giverny. Sa perception des couleurs est altérée et les toiles sont difficiles à dater – avant ou après les opérations oculaires – : ainsi *Le Pont japonais* (vers 1923). L'arceau supérieur est envahi par la glycine dont Monet apprécie le caractère décoratif.

« Deux mots pour vous prévenir que la glycine est bien près d'être à point, qu'elle sera splendide d'ici peu de jours et que votre venue ici s'impose. »

A Clemenceau, 16 mai 1922

forme légère et aérienne pour disparaître sous la végétation et les glycines suspendues.

A la fin de 1900, une dizaine de versions du *Bassin aux nymphéas* est exposée à la galerie Durand-Ruel parmi vingt-cinq œuvres récentes du peintre.

«Les Nymphéas, séries de paysages d'eau»

C'est le titre choisi par Monet lui-même pour la présentation, en 1909, toujours chez Durand-Ruel, de quarante-huit œuvres exécutées entre1903 et 1908 : «une exposition peu banale», selon les propres mots du peintre au marchand (28 janvier 1909). A partir de 1904, le paysage qui entoure le bassin se réduit à une bande étroite dans la partie supérieure et disparaît progressivement de la toile pour laisser place exclusivement aux nymphéas. «Sachez que je suis absorbé par le travail. Ces paysages d'eau et de reflets sont devenus une obsession. C'est au-delà de mes forces de vieillard, et je veux cependant arriver à rendre ce que je ressens. J'en ai détruit. [...] J'en recommence» (à Geffroy, 11 août 1908).

Les Nymphéas

Paysages d'eau

1903. — No 1.

Série 1904. — 5 Tableaux. Nos 2 à 6.

Série 1905. — 7 Tableaux. Nos 7 à 13.

Série 1906. — 5 Tableaux. Nos 14 à 18.

Série 1907. — 21 Tableaux. Nos 19 à 39.

Série 1908. — 9 Tableaux. Nos 40 à 48.

L'exposition de 1909 connaît un grand succès : elle est saluée par Geffroy, Romain Rolland, Remy de Gourmont, Lucien Descaves, Roger Marx...

Le succès et la reconnaissance officielle

Désormais, les œuvres de Monet figurent dans de nombreuses expositions à l'étranger : Bruxelles (à la «Libre Esthétique»), Londres, Berlin, Stockholm, Dresde, Venise... et, bien sûr, aux Etats-Unis où, grâce à Durand-Ruel, au peintre Theodore Robinson et au collectionneur Potter-Palmer, la position de l'artiste s'affirme. Par ailleurs, le peintre reçoit à Giverny des visiteurs étrangers : japonais, russes – le collectionneur Stchoukine – et américains – les peintres John Singer Sargent et Theodore Robinson, et la jeune étudiante Lilla Cabot Perry, qui laisse un récit de ses entrevues avec le maître.

Outre les amis d'autrefois (Sisley, Pissarro, Berthe Morisot, Mallarmé, Rodin, Renoir et même Cézanne) et les «intimes» (Geffroy, Mirbeau, Clemenceau), de nouveaux admirateurs prennent le chemin de Giverny : Jacques-Emile Blanche, Bonnard, Sacha Guitry, Paul Gallimard, les membres de l'académie Goncourt... Puis ses réticences à recevoir des journalistes – quelques entretiens sont accordés à Thiébault-Sisson – et son «grand âge» amènent Monet à préférer la solitude et le travail aux visiteurs importuns, et à réserver ses

A*utoportrait* (1917) exécuté par touches de couleur juxtaposées : un don de Monet à Clemenceau qui l'offre en 1927 au musée du Louvre.

«Je profite pour vous donner l'adresse du rosiériste [...] et aussi les noms des rosiers que vous avez remarqués [...] : celui grimpant du devant de la maison : *Crimson Rambler*, et celui sur tige : *Virago*.»

A G. et J. Bernheim-Jeune, 2 juillet 1909

quelques moments de repos à un petit nombre de fidèles.

Durand-Ruel, secondé par ses fils et n'ayant jamais obtenu l'exclusivité auprès de Monet, doit s'entendre avec les frères Bernheim-Jeune, également familiers de Giverny, pour acheter et exposer les œuvres du peintre, cédées maintenant à des prix élevés (de 40000 à 50000 francs pour certaines toiles en 1924); l'artiste lui-même se déclare stupéfait de la valeur accordée à sa peinture.

Le temps de la reconnaissance officielle est arrivé. Huit œuvres provenant de la collection Caillebotte sont entrées en 1896 au musée du Luxembourg, rejointes en 1906 par les toiles de la collection Moreau-Nélaton, en 1907 par la *Cathédrale de Rouen : harmonie brune*, et, en 1921 par les *Femmes au jardin* – leur refus au Salon remonte à plus de cinquante ans… –; ces deux dernières peintures sont acquises par l'Etat directement auprès de l'artiste. Toutes ces œuvres sont transférées au musée du Louvre quelques années plus tard. Monet est également présent aux cimaises de plusieurs musées de province.

Ce croquis et cette liste de fleurs de la main de l'artiste attestent combien Monet s'intéresse aux espèces florales : il les commande chez Truffaut et Vilmorin et se passionne pour les revues d'horticulture.

« Je suis en ce moment très occupé avec mes jardiniers pour des préparations très importantes. »
Au docteur Coutela, 13 octobre 1923

«De l'eau, des nymphéas, des plantes, mais sur une très grande surface» (à Raymond Koechlin, 15 janvier 1915)

Pendant la guerre, Monet se fait construire un atelier à éclairage zénithal pour travailler aux *Grandes Décorations de nymphéas.* Au lendemain de l'armistice de 1918, il propose à Clemenceau d'en offrir deux panneaux à l'Etat pour fêter la Victoire.

Après de longs pourparlers, un acte de donation est signé le 12 avril 1922 : il prévoit que huit compositions prendront place dans deux salles de l'Orangerie des Tuileries, aménagées à cet effet selon une forme ovale.

Au cours des années suivantes, Clemenceau ne cesse d'encourager le peintre, souvent tenté de renoncer à cette entreprise d'envergure en raison de l'épreuve qui le touche dans ce qui lui est le plus précieux. En effet, Monet souffre de cataracte. Il n'accepte de se faire opérer qu'à partir de 1923.

«Quelle terrible chose que la fin de la vie»

Cet aveu fait à Geffroy le 7 février 1899, alors que viennent de mourir Sisley puis Suzanne Hoschedé-Butler (La *Femme à l'ombrelle*), Monet le renouvelle à plusieurs reprises dans ses lettres en voyant successivement disparaître tous ceux qui ont accompagné sa longue existence : d'abord Berthe Morisot (1895), Mallarmé (1898), puis Pissarro (1903), Mirbeau et Degas (1917), Renoir («me voilà le survivant de ce groupe», constate tristement Monet le 8 décembre 1919), Paul Durand-Ruel (1922) et Geffroy (1926). Monet pleure surtout sa «compagne adorée» Alice, qui s'est éteinte en 1911, ainsi que son fils aîné Jean (mort de maladie en 1914).

Au début des années 1920, Monet pose devant le *Matin* : le peintre, palette et pinceau en main, apparaît ici dans son dernier atelier à éclairage zénithal, construit spécialement pour y élaborer les *Grandes Décorations* destinées à prendre place à l'Orangerie (dépliant pages suivantes : *Matin n° 1* au recto, et *Les Nuages* au verso). L'artiste mène alors à Giverny une vie rythmée par le soleil : il accorde ses heures de visite en fonction des moments où il ne peut travailler à l'atelier.

❝ Je vais bien, bien que très vieux et j'ai enfin retrouvé ma vue avec quelle joie. Aussi ai-je travaillé tout l'été avec joie et plus d'ardeur que jamais. ❞

A Helleu,
29 octobre 1925

A Geffroy, il confie le 19 novembre 1919 : «Quelle triste fin pour moi». Puis Monet retrouve sa «vraie vue», et ses pinceaux lui apportent une certaine consolation : «Je travaille comme jamais, suis content de ce que je fais, et, si les nouveaux verres sont encore meilleurs, alors je ne demande qu'à vivre jusqu'à cent ans» (à André Barbier, 17 juillet 1925).

Veillé par celle que Clemenceau a surnommée «l'ange», Blanche Hoschedé-Monet – sa belle-fille, veuve de son fils Jean –, Monet s'éteint le 5 décembre 1926 à l'âge de quatre-vingt-six ans.

L'artiste ayant refusé de livrer ses *Grandes Décorations* de son vivant, celles-ci sont placées à l'Orangerie des Tuileries, selon la disposition qu'il avait prévue; l'inauguration a lieu le 17 mai 1927. L'ensemble des *Nymphéas* transmet l'ultime message du maître de Giverny qui s'exprime dans un art novateur à la limite de l'abstraction. Par ce testament, l'ancien chef de file des impressionnistes se révèle être un homme de notre siècle reconnu par les artistes d'avant-garde.

Au soir de sa vie, Monet se confie à Clemenceau : «Tandis que vous cherchez philosophiquement le monde en soi, j'exerce simplement mon effort sur un maximum d'apparences, en étroites corrélations avec les réalités inconnues. Quand on est dans le plan des apparences concordantes, on ne peut pas être bien loin de la réalité, ou tout au moins de ce que nous en pouvons connaître. Je n'ai fait que regarder ce que m'a montré l'univers, pour en rendre témoignage par mon pinceau.»

(*Cl. Monet...*, 1928)

TÉMOIGNAGES ET DOCUMENTS

Claude Monet

Monet... et les artistes de son temps

La longue existence de Monet s'accompagne d'une abondante correspondance révélant le caractère de l'homme tout en l'insérant dans son époque. Avec ceux qui étaient ses amis, il tissait des liens profonds dénués de toute affectation. L'intimité s'instaurait entre artistes : rencontres, dons mutuels de leurs œuvres, messages de félicitations et échanges d'appréciations sur le talent de leurs contemporains. Parfois des missives qui se répondent sont parvenues jusqu'à nous : elles font revivre le dialogue.

Monet et Daubigny

Au Salon de 1859, le jeune Monet admirait les œuvres de Troyon et Daubigny; ce dernier lui fit connaître Durand-Ruel à Londres en 1870-1871.

«Tout ce qui vous a été dit de Daubigny à propos de moi est exact et j'ai des raisons pour lui conserver ma grande reconnaissance. C'est grâce à lui que me rencontrant à Londres pendant la Commune et me voyant très gêné pour ne pas dire plus et s'enthousiasmant de certaines de mes études de la Tamise, il me mit en rapport avec M. Durand-Ruel grâce auquel plusieurs de mes amis et moi ne sommes pas morts de faim. Ce sont là des choses que l'on n'oublie pas. Une chose m'a fort touché depuis cela, c'est l'achat à Durand-Ruel d'une de mes *Vues de Hollande* par Daubigny. Mais ce qui est à son honneur, c'est d'avoir donné sa démission de membre du jury au Salon officiel de l'époque, parce que l'on refusait injustement les envois de mes amis et de moi.»

Monet à Etienne Moreau-Nélaton, Giverny, 14 janvier 1925

Monet et Boudin

Celui que Corot appelait le «roi des ciels» fut son premier maître, suivi par

Zola à Medan Seine et Oise
Degas 19bis r. St Georges
Pissarro Eragny sur Epte par Gisors
Petit 12 r. Godot de Mauroy
Richepin 7 rue Galvani
John Sargent
33 Tite Street S. W.

Jongkind. Monet lui témoigna toujours sa reconnaissance.

«Le seul bon peintre de marines que nous ayons, Jongkind, est mort pour l'art [...].Vous avez là une belle place à prendre [...]. Quant à moi, j'espère que vous ne me refuserez pas une petite pochade de vous comme souvenir, et comme conseils, vous savez le cas que j'en fais.»

Monet à Boudin,
Paris, 20 février [1860]

«Nous parlions de Monet. [...] Il y a ici, chez un marchand de la rue Lafayette [sic], une *Vue de Paris* [...] qui serait un chef-d'œuvre digne des maîtres, si les détails répondaient à l'ensemble. Il y a de l'étoffe chez ce garçon.»

Boudin à F. Martin,
[Paris,] 18 janvier 1869

«Voulez-vous, à propos de votre union dont vous me faites part, me permettre de vous adresser quelques lignes de bon ressouvenir de ce temps passé...? Et d'abord vous féliciter sur votre mariage et féliciter madame Monet que j'ai eu le plaisir de voir autrefois, alors qu'elle accueillait les artistes avec tant d'affabilité et si gracieusement.

Depuis bien des années les hasards de l'existence, les nécessités de la vie nous ont séparés sans doute, mais je n'en ai pas moins pris part à vos efforts, à vos succès; [...] je vous ai suivi dans vos tentatives hardies, avec intérêt, dans vos tentatives osées même, mais qui vous ont donné renom et réputation. C'est qu'il est loin le temps où nous allions nous essayer aux paysages dans la vallée de Rouelles ou sur le rivage de Sainte-Adresse ou encore à Trouville ou Honfleur avec ce bon, grand et regretté Jongkind. [...]

Faut-il que j'aie en me voyant vieillir un regret, c'est de ne pas voir parmi les souvenirs que je conserve avec religion, le moindre petit bout de peinture de vous. [...] Vous qui devriez être là sur mon mur pour me rappeler nos années de début et il faut bien le dire, de luttes, de gêne, [...] de découragement aussi.

Ce souvenir m'est bien dû, [...] je ne vous le demande pas pour l'idée vénale que vos tableaux ont pris de la valeur.

Vous en ferez selon votre conscience, mon cher Monet, mais croyez que vous me feriez le plus grand plaisir en vous en souvenant. Vous avez repris possession de vous-même. Vous n'êtes plus dans les temps de lutte et de difficultés du passé. Exécutez-vous vite, car je vieillis tous les jours.»

Boudin à Monet,
Deauville, 28 juillet 1892

«J'ai été surtout très touché en même temps que très flatté de votre demande. [...] Je tiens à vous donner quelque chose qui soit digne de vous. [...]

Vous savez l'affection que j'ai toujours eue pour vous, et aussi la reconnaissance. Je n'ai pas oublié que c'est vous qui, le premier, m'avez appris à voir et à comprendre.

Comme vous, bien des fois, j'ai pensé à ces débuts, à ces délicieuses courses en compagnie de Jongkind, de Courbet. Aussi ai-je été bien heureux de voir que vous en avez conservé le souvenir.

J'espère bien cet hiver venir vous serrer la main et causer de ce bon temps.

Votre vieil ami.»

Monet à Boudin,
Giverny, 22 août 1892

Monet et Bazille

Compagnon de l'atelier Gleyre, admiratif et généreux pour Monet, Bazille fut l'ami de jeunesse : un lien interrompu brutalement par la mort de Bazille en 1870.

«Je viens […] de passer une semaine bien agréable. […] Je suis allé passer huit jours au petit village de Chailly près de la forêt de Fontainebleau. J'étais avec mon ami Monet, du Havre, qui est assez fort en paysage, il m'a donné des conseils qui m'ont beaucoup aidé.»

Bazille à sa mère
[1863]

«Maître Courbet est venu nous faire une visite pour voir le tableau *[Le Déjeuner sur l'herbe]* de Monet, dont il a été enchanté. Du reste, plus de vingt peintres sont venus le voir et tous l'admirent beaucoup, quoiqu'il soit loin d'être fini (bien entendu je ne parle pas de mon œuvre). Ce tableau fera énormément de bruit à l'Exposition.»

Bazille à son frère Marc
[décembre 1865]

«On signe en ce moment une pétition pour demander une Exposition des refusés, cette pétition est appuyée par tous les peintres de Paris qui ont quelque valeur. Cependant, elle n'aboutira pas…

Nous avons donc résolu de louer chaque année un grand atelier où nous exposerons nos œuvres. […] Nous inviterons les peintres qui nous plaisent à nous envoyer des tableaux. Courbet, Corot, Diaz, Daubigny et beaucoup d'autres […] nous ont promis d'envoyer des tableaux, et approuvent beaucoup notre idée. Avec ces gens-là et Monet, qui est plus fort qu'eux tous, nous sommes sûrs de réussir. Vous verrez qu'on parlera de nous.»

Bazille à sa mère
[1867]

«Je sais au contraire mieux que personne la valeur du tableau *[Femmes au jardin]* que je vous ai acheté, et je regrette fort de n'être pas assez riche pour vous faire de meilleures conditions.»

Bazille à Monet
[2 janvier 1868]

Monet et Manet

Bien qu'ayant préféré figurer au Salon de 1874 plutôt qu'à la première exposition impressionniste, Manet fut très proche de Monet à qui il apporta souvent une aide financière. En prenant la tête de la souscription organisée pour faire entrer l'«Olympia» au musée du Luxembourg en 1890, celui-ci se montra fidèle à son ami d'autrefois par-delà sa disparition.

«Mon cher Manet,

Je pense bien souvent à vous et à ce que je vous dois, et vous êtes réellement bien aimable de n'avoir pas encore réclamé cet argent qui doit vous faire défaut. […]

J'apprends avec joie que vos tableaux ont du succès et vous venez, paraît-il, de faire des choses épatantes.»

Monet à Manet,
Vétheuil, 14 mai 1879

«J'apprends à l'instant la terrible nouvelle de la mort de notre pauvre Manet. Son frère compte sur moi pour tenir un des cordons. Il me faut être à Paris demain soir et me faire faire un habit de deuil.»

Monet à Durand-Ruel,
Giverny,
1er mai [1883]

«Oui, ce pauvre Manet m'aimait bien, mais nous la lui rendons bien cette amitié et je suis exaspéré du silence et de l'injustice de tous pour sa mémoire et son grand talent.»

Monet à Mallarmé, 19 juin 1888

«Monsieur le Ministre,

Au nom d'un groupe de souscripteurs, j'ai l'honneur d'offrir à l'Etat l'*Olympia* d'Edouard Manet.

Nous sommes certains d'être ici les représentants et les interprètes d'un grand nombre d'artistes, d'écrivains et d'amateurs, qui ont reconnu depuis longtemps déjà quelle place considérable doit tenir dans l'histoire du siècle le peintre prématurément enlevé à son art et à son pays.

[...] De l'aveu de la grande majorité de ceux qui s'intéressent à la peinture française, le rôle d'Edouard Manet a été utile et décisif. Non seulement il a joué un grand rôle individuel, mais il a été, de plus, le représentant d'une grande et féconde évolution.

Il nous a donc paru impossible qu'une telle œuvre n'eût pas sa place dans nos collections nationales, que le maître n'eût pas ses entrées là où sont déjà les disciples. Nous avons, de plus, considéré avec inquiétude le mouvement incessant du marché artistique, la concurrence (d'achat) qui nous est faite par l'Amérique, le départ, facile à prévoir, pour un autre continent, de tant d'œuvres d'art qui sont la joie et la gloire de la France. Nous avons voulu retenir une des toiles les plus caractéristiques d'Edouard Manet, celle où il apparaît en pleine lutte victorieuse, maître de sa vision et de son métier.

C'est l'*Olympia* que nous remettons entre vos mains, Monsieur le Ministre. Notre désir est de la voir prendre place au Louvre, à sa date, parmi les productions de l'école française. Si les règlements s'opposent à cette entrée immédiate, [...] nous estimons que le musée du Luxembourg est tout indiqué pour recevoir l'*Olympia* et la garder jusqu'à l'échéance prochaine.»

Monet à Fallières,
ministre de l'Instruction publique,
7 février 1890

Monet et Berthe Morisot

Très sensible aux qualités humaines et au talent de la personnalité féminine du groupe impressionniste, Monet voyait en Berthe Morisot, l'épouse du frère de Manet, «une femme on ne peut plus charmante et très artiste».

«Je suis loin de Paris. Je ne puis vous admirer chez Petit; mais il m'arrive presque chaque jour des lettres pleines de vos succès, et je tiens à vous en faire compliment. [...]

J'ai un bow-window sur la mer et un jardin qui n'est qu'une botte de fleurs. Vous en feriez des merveilles!»

Berthe Morisot à Monet,
Jersey, [juin] 1886

«Je vous trouve bien aimable d'avoir des remords à mon endroit, la vérité vraie, c'est que le mauvais temps et les années sont seuls cause de mes maladies; je deviens une vieille dame à bronchite. [...] Vous faites des coquetteries, mais je sais bien que vous êtes en verve, que vous faites des choses délicieuses. [...]

Nous parlons souvent de vous avec Mallarmé, qui est un de nos fidèles et votre très grand ami.»

Berthe Morisot à Monet,
14 mars 1888

Berthe Morisot photographiée dans son atelier.

«Vous devez me croire bien oublieux n'est-ce pas? Je voulais toujours venir vous voir et vous dire combien j'ai trouvé jolis vos tableaux chez Durand, mais j'ai été très occupé ici, ne venant à Paris qu'en passant pour quelques heures; et puis, j'espérais aussi que, vous entendant avec Mallarmé, vous alliez venir à Giverny.

Les Goupil vous ont-ils au moins prévenue qu'ils faisaient une exposition d'une dizaine de toiles que je leur ai vendues? Je serais bien aise d'avoir votre impression.»

Monet à Berthe Morisot
[Giverny, début juin 1888]

«Je vous remercie beaucoup de votre bon souvenir et de ce que vous me dites d'aimable sur mes misérables tableaux de chez Durand. J'en suis d'autant plus touchée que c'est, comme vous le savez, un four complet. […]

Vous l'avez bien conquis, vous, ce public récalcitrant. On ne rencontre chez Goupil que gens admiratifs au dernier point, et je trouve qu'il y a de votre part beaucoup de coquetterie à demander l'impression produite; c'est un éblouissement! et vous le savez fort bien. […]

J'ai vu Mallarmé jeudi. Je serais bien étonnée si cet homme charmant ne vous exprimait toute son admiration dans une jolie lettre. Nous sommes toujours l'un et l'autre tout disposés à vous aller voir à Giverny.»

Berthe Morisot à Monet,
[juin] 1888

«Je suis au regret de ne l'avoir pas vue* une dernière fois avant mon départ, et c'est un grand chagrin de penser qu'elle n'est plus : elle était si intelligente, avait tant de talent. […]

C'est vraiment bien bien triste, bien dur de voir tous ses amis partir si tôt. De notre petit groupe, combien restons-nous, hélas?»

Monet à Alice Monet,
Sandviken, 10 mars 1895

* Berthe Morisot, Mme Eugène Manet, est morte en mars 1895.

Monet et Cézanne

Monet conservait dans sa chambre de Giverny plusieurs œuvres de Cézanne dont «Le Nègre Scipion». Et celui qui voulait aller «au-delà de l'impressionnisme» s'est cependant incliné devant l'extraordinaire «œil» de Monet.

«C'est entendu pour mercredi*.

J'espère que Cézanne sera encore ici et qu'il sera des nôtres, mais il est si singulier, si craintif de voir de nouveaux visages, que j'ai peur qu'il nous fasse défaut, malgré tout le désir qu'il a de vous connaître. Quel malheur que cet homme n'ait pas eu plus d'appui dans son existence! C'est un véritable artiste et qui en est arrivé à douter de lui par trop. Il a besoin d'être remonté, aussi a-t-il été bien sensible à votre article!»

Monet à Geffroy,
[Giverny,] 23 novembre 1894

* Monet invite G. Geffroy à venir connaître Cézanne à Giverny au cours d'un déjeuner qui réunit, le 28 novembre 1894, Monet, Cézanne, Geffroy, Mirbeau, Rodin et Clemenceau.

«Je vous dirai combien j'ai été heureux de l'appui moral que j'ai rencontré auprès de vous, et qui me sert de stimulant pour la peinture.»

Cézanne à Monet,
Aix, 6 juillet 1895

«Je poursuis la réussite par le travail. Je méprise tous les peintres vivants, sauf Monet et Renoir.»

Cézanne à J. Gasquet,
Aix, 8 juillet 1902

«Je croyais vous avoir dit en causant que Monet habitait Giverny; je souhaite que l'influence artistique que ce maître ne peut manquer d'exercer sur l'entourage plus ou moins direct qui l'environne, se fasse sentir dans la mesure strictement nécessaire qu'elle peut et doit avoir sur un artiste jeune et bien disposé au travail. […]

Si vous rencontriez le maître [Monet] que tous deux [nous] admirons, rappelez-moi à son bon souvenir.

Il n'aime pas beaucoup, je crois, à ce qu'on l'embête, mais en faveur de la sincérité peut-être se détendrait-il un peu.»

Cézanne à Camoin,
Aix, 13 septembre 1903

Monet et Pissarro

Après que son ralliement temporaire au néo-impressionnisme se fut accompagné de critiques émises sur la peinture de Monet, Pissarro sut reconnaître la valeur des «séries» des années 1890.

«Il [Bracquemond] a aussi bien remarqué l'exécution grossière de certains Monet, une toile de Hollande* où les empâtements sont tellement en relief qu'une lumière factice vient s'ajouter à celle de la toile (tu ne saurais croire combien cela m'est désagréable) et qui plus est, avec un ciel balayé, mince; non, je ne puis accepter cette façon de comprendre l'art.»

Pissarro à son fils Lucien
[15 mai 1887]

* La version des *Champs de tulipes* (Amsterdam, Stedelijk Museum) présentée à la «VIe exposition internationale de peinture», Galerie Georges Petit, 1887.

«Je te disais que ce que j'avais vu des tableaux de Monet ne me paraissait pas dénoter un progrès; l'opinion des peintres est à peu près unanime à cet égard. Degas a été des plus sévères; il ne considère cela que comme un art de vente. Du reste, il a toujours été de l'avis que Monet ne faisait que de belles décorations. Mais c'est plus vulgaire, comme dit Fénéon, que jamais. Renoir trouve aussi que c'est en arrière, diable! […] Durand-fils aussi est de cet avis; il est vrai que là il y a le marchand qui est en concurrence.

J'ai rencontré Monet chez Durand. Je ne sais pas, mais il a toujours l'air un peu narquois. J'étais en train de lire un article où on le critiquait d'une façon idiote, avec des raisons si bêtes que je le lui ai signalé, et aussi des éloges tout aussi stupides. Nous n'avons pas parlé autrement de peinture – à quoi sert, il ne me comprendra pas. Après tout, il a peut-être raison, chacun suit sa ligne selon ses facultés!»

Pissarro à son fils Lucien,
Paris, 10 juillet 1888

«Hier a ouvert l'exposition* de Monet chez Durand. J'y suis allé l'œil bandé et n'ai pu voir que d'un œil les merveilleux *Soleils couchants* de Monet.

Cela m'a paru très lumineux et très maître, c'est incontestable. Mais comme, pour notre propre instruction, nous devons voir l'au-delà, je me suis demandé ce qui pourrait me sembler manquer. C'est bien difficile à distinguer; ce n'est certes ni dans la justesse ni dans l'harmonie, ce serait plutôt dans l'unité de l'exécution que je trouverais à redire, ou plutôt dans une manière plus calme de voir, moins éphémère dans certaines parties. Les couleurs sont plutôt jolies que fortes, le dessin est beau mais flottant, dans les fonds surtout – c'est égal, c'est un bien grand artiste!

Inutile de te dire que c'est un grand succès; c'est tellement séduisant que, franchement, ce n'est pas étonnant. Ces toiles respirent le contentement. Mirbeau m'a parlé de tes bois qu'il trouve très bien, Monet aussi.»

Pissarro à son fils Lucien,
Paris, 5 mai 1891

* Y sont présentées quinze versions des *Meules.*

«Je regretterais que tu ne sois ici avant la fermeture de l'exposition Monet; ses *Cathédrales* vont être dispersées d'un côté et d'autre, et c'est surtout dans son ensemble qu'il faut que ce soit vu. C'est très combattu par les jeunes et même par des admirateurs de Monet. Je suis très emballé par cette maîtrise extraordinaire. Cézanne, que j'ai rencontré hier chez Durand, est bien de mon avis que c'est l'œuvre d'un volontaire, bien pondéré, poursuivant l'insaisissable nuance des effets que je ne vois réalisée par aucun autre artiste. Quelques artistes nient la nécessité de cette recherche, personnellement je trouve toute recherche légitime quand c'est senti à ce point.»

Pissarro à son fils Lucien,
Paris, 26 mai 1895

«Tu te rappelles que les *Cathédrales* de Monet étaient toutes faites avec un effet très voilé qui donnait, du reste, un certain charme mystérieux au monument.»

Pissarro à son fils Lucien,
Rouen, 24 mars 1896

Monet dans le jardin de Giverny.

Monet et Caillebotte

Deux hommes réunis par leur passion commune pour la peinture et le jardinage. Et c'est grâce au legs de Caillebotte collectionneur, en 1894, que Monet, représenté par huit toiles, entre en 1896 au musée du Luxembourg.

«Cher Ami,

Ne manquez pas de venir lundi comme c'est convenu, tous mes iris seront en fleurs, plus tard il y en aurait de passés.

Voici le nom de la plante japonaise qui me vient de Belgique : *Crythrochaete*. Tâchez d'en parler à M. Godefroy et de me donner quelques renseignements sur sa culture.»

Monet à Caillebotte,
Giverny (lettre non datée)

«Mon cher Martial,

J'ai reçu ce matin les photographies de Gustave qui me font bien plaisir. Je vous en remercie beaucoup, et aussi d'avoir pensé à m'envoyer celle où vous êtes tous deux.

J'espère que maintenant que tout est entendu avec l'administration des Beaux-Arts, que bientôt elle prendra possession des tableaux qui doivent être accrochés au Luxembourg. […]

Lorsque vous en serez à l'organisation et à l'accrochage de l'exposition de Gustave ne manquez pas de me prévenir et usez de moi sans crainte. Vous savez le bonheur que j'aurais de m'occuper de sa mémoire.»

Monet à Martial Caillebotte,
frère de Gustave,
22 mai 1894

Monet et Sisley

C'est à Monet que Sisley recommande ses enfants avant de s'éteindre.

«Le pauvre Sisley m'avait fait demander de venir le voir il y a huit jours, et j'avais bien vu, ce jour là, que c'était un dernier adieu qu'il voulait faire. Pauvre ami, pauvres enfants!»

Monet à Geffroy, 29 janvier 1899

«Ma chère amie,

Je m'occupe en ce moment d'une vente pour venir en aide aux deux enfants de Sisley, restés sans ressources, et, comme leur père n'a laissé comme fonds d'atelier que très peu de tableaux, on joindrait les tableaux de ses amis et confrères à la vente de ses œuvres, ce qui alors pourrait assurer l'indispensable à ces pauvres enfants.

J'ai naturellement le concours assuré de tous ceux qui ont pris part à toutes nos expositions des débuts, et j'ai pensé que si votre mère était là, elle aurait été heureuse de s'associer à cette bonne action, et, si vous trouvez que vous pouvez disposer d'une de ses toiles, ne serait-ce pas lui rendre comme un hommage qui vous associerait, elle et vous, à cette bonne œuvre. […]

Nous donnerons, quant à nous, ce que nous avons de mieux, de façon que cette vente soit un succès d'argent pour les enfants Sisley.»

Monet à Julie Manet,
fille de Berthe Morisot
et d'Eugène Manet,
Giverny, 23 mars 1899

Renoir peint par Bazille (1867).

Monet et Renoir

Au cours de leur jeunesse, ils plantèrent souvent leur chevalet côte à côte, et Monet fut profondément éprouvé par la maladie et la disparition de Renoir.

«Je suis chez mes parents, et suis presque toujours chez Monet, ousqu'on se fait [sic] par parenthèses assez vieux. On ne bouffe pas tous les jours. Seulement, je suis tout de même content, parce que, pour la peinture, Monet est une bonne société.»

Renoir à Bazille
[Louveciennes, été 1869]

«Voulez-vous savoir dans quelle situation je suis et comment je vis depuis huit jours […} demandez-le à Renoir qui nous a apporté du pain de chez lui pour que nous ne crevions pas.»

Monet à Bazille,
Saint-Michel [Bougival], 9 août [1869]

«Mes félicitations sur l'article sur le portrait de Renoir. Oui, celui-là est vraiment un beau et rare peintre.»

Monet à Geffroy,
Giverny, 6 juillet 1912

«Vous devinez quelle peine c'est pour moi que la disparition de Renoir : il emporte avec lui une partie de ma vie. Depuis ces trois jours, je ne cesse de revivre nos jeunes années de luttes et d'espérances… C'est dur de rester le seul, pas pour longtemps, certainement, me sentant chaque jour bien vieillir, bien que l'on me dise le contraire.»

Monet à Fénéon
[vers la mi-décembre 1919]

Monet et Degas

Degas n'a pas toujours aimé ni compris les œuvres de Monet, où il aurait vu l'expression d'un «art de vente» et d'un talent «décoratif», mais leur amitié résista aux années : presque aveugle, Degas n'hésita pas en 1911 à faire le voyage de Giverny pour être présent à l'enterrement d'Alice Monet.

«Je viens de recevoir une lettre de MM. Bernheim me demandant d'intervenir auprès du frère de Degas pour qu'ils vous soient adjoints à la vente publique. […] Bien que ne connaissant pas le frère de Degas, mon admiration pour son talent, notre amitié de jeunesse et notre lutte en commun me permettraient […] de lui adresser un mot à ce sujet.»

Monet à J. Durand-Ruel,
Giverny, 15 octobre 1917

Monet et Vincent Van Gogh

Dans ses lettres, Van Gogh a souvent fait référence à l'art de Monet, et il manifesta notamment un vif intérêt pour l'exposition «Monet-Rodin» dont son frère lui avait adressé le catalogue.

«Il y a beaucoup de choses à voir ici. […] A Anvers, je ne savais même pas ce que c'était que les impressionnistes; maintenant je les ai vus, et bien que ne faisant pas encore partie de leur club, j'ai beaucoup admiré certains de leurs tableaux : […] Claude Monet, un paysage.»

Van Gogh à H. M. Levens,
Paris [été ou automne 1886]

«Mon frère a, dans ce moment, une exposition de Claude Monet, je voudrais bien les voir [sic]. Entre autres, Guy de Maupassant y était venu.»

Van Gogh à Emile Bernard
[Arles, juin 1888]

«Tu feras quelque chose comme Durand-Ruel, qui dans le temps avant que les autres eussent reconnu la personnalité de Claude Monet, lui a pris des tableaux.»

Van Gogh à Théo
[10 septembre 1888]

«Ah, peindre des figures comme Claude Monet peint les paysages! Voilà ce qui reste malgré tout à faire et avant qu'on ne voie à la rigueur dans les impressionnistes que Monet seul.»

Van Gogh à Théo [mai 1889]

Monet et Signac

A l'occasion de l'exposition des «Venise» de Monet à la galerie Bernheim-Jeune, en 1912, un très bel échange de lettres révèle leur estime réciproque.

«Mon cher Maître,
J'ai éprouvé devant vos *Venise*, devant l'admirable interprétation de ces motifs que je connais si bien, une émotion aussi complète, aussi forte, que celle que j'ai ressentie, vers 1879, dans la salle d'exposition de la *Vie moderne*, devant vos *Gares*, vos *Rues pavoisées* et qui a décidé de ma carrière.

Toujours un Monet m'a ému. Toujours j'y ai puisé un enseignement et, aux jours de découragement et de doute, un Monet était pour moi un ami et un guide.

Et ces *Venise*, plus forts encore, où tout concorde à l'expression de votre volonté, où aucun détail ne vient à l'encontre de l'émotion, où vous avez atteint à ce génial sacrifice, que nous recommande toujours Delacroix, je les admire comme la plus haute manifestation de votre art.»

Signac à Monet,
31 mai 1912

«Si les injurieuses critiques de la première heure m'ont laissé froid, je reste aussi indifférent aux éloges des imbéciles, des snobs et des trafiquants. L'opinion de quelques-uns dont vous êtes, m'est précieuse. […} Je regrette que votre santé m'ait privé du plaisir de causer avec vous.»

Monet à Signac,
Giverny, 5 juin 1912

Monet et Maurice Denis

Lié dans les années 1920 aux Nabis, particulièrement à Bonnard, Monet s'intéresse ici dans ce message de nouvel an aux décorations exécutées par Maurice Denis au Petit Palais.

«Cher Maurice Denis,
C'est pour vous donner le bon exemple et vous témoigner toute ma sympathie. J'ai été très heureux de l'envoi de la photo et m'imagine ce que cela peut être : malheureusement je suis devenu bien casanier et ne vais guère à Paris, mais le jour où j'y viendrai, je ne manquerai pas d'aller au Petit Palais.»

Monet à Maurice Denis,
Giverny, 4 janvier 1926

Monet et Kandinsky

Devant les «Meules» de Monet, Kandinsky reçut une révélation qui allait le mener vers l'art abstrait.

«Je vécus deux événements qui marquèrent ma vie entière de leur sceau et qui me bouleversèrent alors jusqu'au plus profond de moi-même. Ce furent

l'exposition des impressionnistes à Moscou* – en premier lieu la *Meule de foin* de Monet – et une représentation de Wagner. […] Et soudain, pour la première fois, je voyais un tableau. […] Je sentais confusément que l'objet faisait défaut au tableau. […] Tout ceci était confus pour moi, et je fus incapable de tirer les conclusions élémentaires de cette expérience. Mais ce qui m'était parfaitement clair, c'était la puissance insoupçonnée de la palette qui m'avait jusque-là été cachée et qui allait au-delà de tous mes rêves. La peinture en reçut une force et un éclat fabuleux. Mais inconsciemment aussi, l'objet en tant qu'élément indispensable du tableau en fut discrédité.»

Kandinsky, *Rückblicke*, Berlin, 1913,
Traduit dans *Regards sur le passé*…,
présentés par J.-P. Bouillon, Paris, 1974

* Au cours de l'hiver 1896-1897.

Monet et Rodin

L'amitié qui unissait le peintre et le scupteur demeura au-delà de l'exposition «Monet-Rodin» de 1889.

«Mon cher Rodin,
Que je vous dise combien je suis heureux du beau bronze que vous m'avez envoyé. Je l'ai placé dans l'atelier afin de le voir constamment. Je suis revenu émerveillé de votre *Porte* et de tout ce que j'ai vu chez vous.»

Monet à Rodin,
Giverny, 25 mai 1888

«Il s'agit d'une exposition que j'ai accepté de faire chez Petit, moi seul peintre et Rodin le sculpteur. C'est une grosse affaire. Exposition durant trois mois pendant l'Exposition universelle et en vue du public étranger qui sera à Paris. Il me faut donc un certain nombre de tableaux, voulant montrer le choix de tout ce que j'ai fait avec les choses nouvelles que je vais rapporter. Je viens donc vous demander votre concours. Cette exposition peut avoir un certain succès et sera pour vous une chance de vente.»

Monet à Paul Durand-Ruel,
Fresselines, 1er mai 1889

«Votre lettre m'a réjoui, car vous savez que préoccupés comme nous le sommes tous les deux par notre poursuite de la nature, les manifestations de l'amitié en souffrent, mais le même sentiment de fraternité, le même amour de l'art, nous a fait amis pour toujours, aussi suis-je heureux de recevoir votre lettre. Il serait si dur à un certain âge de perdre un ami ou plutôt de le voir indifférent, qu'à cette pensée je souffre aussi, mon cher ami. C'est toujours la même admiration que j'ai pour l'artiste qui m'a aidé à comprendre la lumière, les nuées, la mer, les cathédrales que j'aimais tant déjà, mais dont la beauté réveillée dans l'aurore par votre traduction m'a touché si profondément.

A vous donc, mon cher ami, mon compagnon de route, avec mon très cher Mirbeau et Geffroy, groupe que j'aime.»

Rodin à Monet,
Montrozier [Aveyron],
22 septembre 1897

«Ce n'est qu'hier que j'ai pu aller au Salon. […] Enfin j'ai vu votre *Balzac*, et, bien que je fus certain de voir une belle chose, mon attente a été dépassée, je vous le dis bien sincèrement.

Vous pouvez laisser crier, jamais vous n'étiez allé plus loin : c'est absolument beau et grand, c'est superbe et je ne cesse d'y penser.»

Monet à Rodin,
[Giverny,] 30 juin 1898

«Mon bien cher Ami,
Vous me rendez heureux avec votre appréciation sur le *Balzac*. Merci. Votre appréciation est une de celles qui m'étayent fortement; j'ai reçu une bordée, qui est pareille à celle que vous avez eue autrefois quand il était de mode de rire de l'invention que vous aviez eue de mettre de l'air dans les paysages. […]

Votre exposition victorieuse donne de la force aussi à tous les artistes persécutés comme je le suis maintenant.

Quel effet, qui n'avait jamais été employé avant vous, et cette cathédrale dans le brouillard! […]
Votre vieil ami.»

Rodin à Monet,
7 juillet 1898

« Vous me demandez de vous dire […] ce que je pense de Rodin.
[…] Ce que je tiens à vous dire, c'est ma grande admiration pour cet homme unique en ce temps et grand parmi les plus grands. »

Monet à Arsène Alexandre
[Giverny, 25 avril 1900],
Préface de Monet pour le catalogue «Exposition de 1900 - L'œuvre de Rodin», Paris, 1900, p. V : lettre transcrite par Arsène Alexandre

«Mon cher Maître,
Tous mes vœux, Monet […], et merci d'avoir été du comité du *Penseur*, et de votre souscription […]. Tout cela, ami, est si bon d'être ainsi de temps en temps auprès l'un de l'autre.
Votre admirateur.»

Rodin à Monet,
30 décembre 1904

«Mon cher Rodin. Merci de votre bon souvenir et de vos bons souhaits dont je suis bien touché. A mon premier voyage à Paris, je m'arrangerai pour aller vous voir […], tenant aussi à aller voir l'effet du *Penseur* au Panthéon.
Croyez-moi votre admirateur et ami.»

Monet à Rodin,
Giverny, 2 janvier 1905

«Je vous adresse mon adhésion complète à votre projet d'un Musée Rodin, heureux de témoigner mon admiration au grand artiste.»

Monet à Judith Cladel,
Giverny, 20 décembre 1911

Monet et Maillol

En 1903, après le nom de Rodin, c'est celui de Maillol qui, en sculpture, s'impose à Monet.

«Je regrette profondément que Rodin ne soit pas chargé du monument de Zola.
Alors […] à qui s'adresser? Eh bien! à un jeune ayant donné de belles promesses et qui, dans un cas pareil, pourra donner des preuves, et je pense tout à suite à Maillol; c'est le seul, à mon avis, hors Rodin.»

Monet à Duret,
Giverny,
15 janvier 1903

Monet et Paul Nadar

Adressée au fils du célèbre Nadar, qui avait prêté ses locaux pour la première exposition impressionniste de 1874, cette lettre rappelle combien son auteur aimait à laisser prédominer le «naturel».

«Cher Monsieur Nadar,
J'entends dire que vous allez faire le portrait de mon beau-fils J.-P. Hoschedé et de sa fiancée, que vous leur demandez des draperies, que sais-je? Alors je viens, moi, vous demander de les photographier aussi simplement que possible, comme ils sont.
Notez que je ne dis pas aussi bien que possible, sachant par expérience le parti que vous savez tirer de vos modèles. Ce que je vous dis est seulement pour vous rappeler ma prédilection pour les portraits de complète simplicité, sans aucun apprêt.
Merci de bien vouloir nous traiter encore en ami.»

Monet à Paul Nadar,
Giverny,
10 décembre 1903

Des critiques fervents et perspicaces...

«Une chose dont je suis heureux, c'est de vivre à la même époque que Monet» : un propos prêté à Mallarmé qui aurait pu être celui de bien d'autres écrivains liés d'amitié avec l'artiste. Présents dès les débuts difficiles du peintre, et nombreux lors de ses succès auxquels ils contribuaient, ils lui demeurèrent fidèles aux heures de tristesse : «J'ai tant besoin de me sentir des amitiés» (à Geffroy, 26 décembre 1902).

Monet et Zola

Dès ses premières apparitions au Salon, Monet a été remarqué par Zola, et le critique est devenu un ami.

«Il y a en lui un peintre de marines de premier ordre. Mais il entend le genre à sa façon, et là encore je retrouve son profond amour pour les réalités présentes. On aperçoit toujours dans ses marines un bout de jetée, un coin de quai, quelque chose qui indique une date et un lieu. Il paraît avoir un faible pour les bateaux à vapeur. D'ailleurs il aime l'eau comme une amante, il connaît chaque pièce de la coque d'un navire, il nommerait les moindres cordages de la mâture.

[...] Certes, j'admirerais peu ces œuvres, si Claude Monet n'était un véritable peintre. J'ai simplement voulu constater la sympathie qui l'entraîne vers les sujets modernes. Mais si je l'approuve de chercher ses points de vue dans le milieu où il vit, je le félicite encore davantage de savoir peindre, d'avoir un œil juste et franc, d'appartenir à la grande école des naturalistes. Ce qui distingue son talent, c'est une facilité incroyable d'exécution, une intelligence souple, une compréhension vive et rapide de n'importe quel sujet.

Je ne suis pas en peine de lui. Il domptera la foule quand il le voudra. Ceux qui sourient devant les âpretés voulues de sa marine de cette année, devraient se souvenir de sa femme en robe verte de 1866. Quand on peut peindre ainsi une étoffe, on possède à fond son métier, on s'est assimilé toutes les manières nouvelles, on fait ce que l'on veut. Je n'attends de lui rien que de

Photographie d'Emile Zola.

bon, de juste et de vrai.»

Zola, «Mon Salon, IV, Les Actualistes», *L'Evénement illustré*, 24 maï 1868

«Mon cher Zola,

Vous avez eu l'obligeance de m'envoyer *L'Œuvre*. Je vous en suis très reconnaissant. J'ai toujours un grand plaisir à lire vos livres et celui-ci m'intéressait doublement, puisqu'il soulève des questions d'art pour lesquelles nous combattons depuis si longtemps. Je viens de le lire et je reste troublé, inquiet, je vous l'avoue.

Vous avez pris soin, avec intention, que pas un seul de vos personnages ne ressemble à l'un de nous, mais malgré cela j'ai peur que dans la presse et le public, nos ennemis ne prononcent les noms de Manet ou tout au moins les nôtres pour en faire des ratés, ce qui n'est pas dans votre esprit, je ne veux pas le croire.

Excusez-moi de vous dire cela. Ce n'est pas une critique, j'ai lu *L'Œuvre* avec un très grand plaisir, retrouvant des souvenirs à chaque page. Vous savez du reste mon admiration fanatique pour votre talent. Non, mais je lutte depuis un assez long temps et j'ai les craintes qu'au moment d'arriver les ennemis ne se servent de votre livre pour nous assommer.»

Monet à Zola, Giverny, 5 avril 1886

«Mon cher Zola,

Encore une fois bravo et de tout cœur pour votre vaillance et votre courage*.

Votre vieil ami.»

Monet à Zola, Giverny, 14 janvier 1898

* Monet écrit au lendemain du célèbre article de Zola, «J'accuse», *L'Aurore*, 13 janvier 1898.

Monet et Duret

Connaisseur en art du Japon, où il avait séjourné, le critique Duret fut un des premiers amateurs des impressionnistes, auxquels il consacra un ouvrage dès 1878. En 1880, il signa la préface au catalogue de la première exposition particulière de Monet.

«La première réflexion, qui vint à l'esprit en présence d'une série complète *Les Meules* ou *La Cathédrale*, fut que Monet avait comme simplifié sa besogne, en répétant ainsi le même sujet et qu'il devait arriver, après les deux ou trois premiers essais, à peindre en supprimant les difficultés. On a donc cru qu'en exécutant ses *séries*, il avait voulu faciliter sa tâche, obtenir le plus de tableaux possible avec le moins d'efforts. Or c'est le contraire qui est vrai. Depuis qu'il a peint par *séries*, il a en réalité moins produit de toiles qu'auparavant. Il s'est trouvé que rendre des scènes différentes, une fois pour toutes, était chose plus facile que d'exécuter des répétitions nombreuses de la même scène, présentant des formes diverses. Saisir au passage, pour les préciser sur la toile, les variations d'aspect qu'une scène peut prendre, constitue une opération d'une grande délicatesse, demandant une vision exceptionnelle et des qualités spéciales. Il faut pour peindre ainsi se livrer à de véritables abstractions. Il faut parvenir à dégager du fond immuable, le motif fugitif et le faire d'une façon subite, car les effets différents à saisir peuvent, dans leur apparition éphémère, enjamber les uns sur les autres et, si l'œil ne les arrête au passage, en venir à se confondre. […]

Il a supporté les temps d'épreuve et de misère avec une grande force de caractère. Puis, lorsque le succès vint, il n'en fut nullement troublé. Il ne chercha à en retirer aucun de ces avantages honorifiques, que tant d'artistes se plaisent à rechercher et refusa, en particulier, de se laisser décorer de la Légion d'honneur. Il s'est toujours conduit en très brave homme avec ses camarades de l'impressionnisme. Degas, Pissarro, Cézanne, Renoir, Sisley n'ont été vantés par personne mieux que par lui. Il n'a non plus cessé d'exprimer sa grande admiration pour Manet et de faire connaître tout ce qu'il lui avait dû au départ. […]

Il avait été constamment attiré par le spectacle de l'eau. Il avait, dans les lieux les plus divers, où il était allé travailler, introduit l'eau comme partie intégrante de ses tableaux. Il avait peint, de manières variées, à Giverny, celle qu'il y trouvait. Les nymphéas et les reflets de l'étang de son jardin lui avaient fourni deux de ses dernières séries. Il va, en fin de carrière, reprendre ces motifs, sous une forme particulière. Il en fera un thème décoratif.»

Duret,
Histoire des peintres impressionnistes,
Paris, 1906, réédition 1919

Monet et Maupassant

Sensibles à la nature et excellant dans la «description» d'un paysage, le peintre et l'écrivain se rencontrèrent à plusieurs reprises à Etretat, notamment à l'automne 1885. Certaines pages de Maupassant évoquent des toiles de Monet.

«L'an dernier, j'ai souvent suivi Claude Monet à la recherche d'impressions. Ce n'était plus un peintre, en vérité, mais un chasseur. Il allait, suivi d'enfants qui portaient ses toiles, cinq ou six toiles représentant le même sujet à des heures diverses et avec des effets différents. Il

les prenait et les quittait tour à tour, suivant les changements du ciel. Et le peintre, en face du sujet, attendait, guettait, le soleil et les ombres, cueillait en quelques coups de pinceau le rayon qui tombe ou le nuage qui passe, et, dédaigneux du faux et du convenu, les posait sur sa toile avec rapidité. Je l'ai vu saisir ainsi une tombée étincelante de lumière sur la falaise blanche et la fixer à une coulée de tons jaunes qui rendaient étrangement surprenant l'effet de cet insaisissable et aveuglant éblouissement. Une autre fois, il prit à pleines mains une averse abattue sur la mer et la jeta sur sa toile. Et c'était bien de la pluie qu'il avait peinte ainsi, rien que de la pluie voilant les vagues, les roches et le ciel à peine distincts sous ce déluge.»

Maupassant,
«La Vie d'un paysagiste
(Etretat, septembre)»,
Gil Blas, 28 septembre 1886

Monet et Mallarmé

Ils auraient pu laisser un ouvrage à deux mains si Monet n'avait pas renoncé devant l'illustration d'un texte de Mallarmé qu'il dédommagea par le don d'une toile, un certain dimanche 13 juillet 1890 à Giverny. Berthe Morisot était souvent leur trait d'union.

«Mon cher ami,

Merci de votre si aimable lettre. Je suis bien content que mes tableaux* vous plaisent, les éloges venant d'un artiste comme vous, cela fait plaisir.»

Monet à Mallarmé,
19 juin 1888

* Les *Marines d'Antibes,* présentées par Théo Van Gogh dans la galerie annexe de la maison Boussod-Valadon.

«On ne dérange pas un homme en train d'une joie pareille à celle que me cause la contemplation de votre tableau, cher Monet.

Je me noie dans cet éblouissement et estime ma santé spirituelle du fait que je le vois plus ou moins, selon mes heures. Je me suis peu couché, la première nuit, le regardant : et, dans la voiture, Mme Manet [Berthe Morisot] était humiliée que je ne craignisse les incartades du cheval […] qu'au point de vue de ma toile. […] Vous triste! le seul être qu'un découragement ne doive effleurer.»

Mallarmé à Monet,
Paris, 21 juillet 1890

«Monsieur Monet, que l'hiver ni
L'été sa vision ne leurre
Habite, en peignant, Giverny
Sis auprès de Vernon dans l'Eure.»

Mallarmé, quatrain d'adresse
(sur une enveloppe
destinée à Monet, été 1890)

Monet et Proust

L'écrivain fait apparaître dans son œuvre l'univers de Giverny (décrit ou imaginé?) ainsi que des tableaux de Monet. Tous deux ont droit à l'admiration du poète Henri de Régnier.

«Quelles heures charmantes. Le soleil éclairait en plein le plus beau tableau de Claude Monet que je sache : *Un champ de tulipes près de Harlem**. Le prince, avant son mariage, dans une vente, l'avait convoité. «Mais, disait-il, quelle rage! ce tableau me fut enlevé par une Américaine dont je vouai le nom à l'exécration. Quelques années plus tard, j'épousais l'Américaine et j'entrais en possession du tableau!»

Marcel Proust, sous le pseudonyme
d'Horatio, «Le Salon de la princesse
Edmond de Polignac, musique
d'aujourd'hui, échos d'autrefois»,
Le Figaro, 6 septembre 1903

* Version des *Champs de tulipes* léguée en 1944 par Winnaretta Singer, princesse Edmond de Polignac, au musée du Louvre et conservée aujourd'hui au musée d'Orsay, Paris.

Monet et Mirbeau

Mirbeau fut l'un des plus ardents défenseurs de l'art de Monet. Le peintre lisait ses écrits et annonçait à Geffroy en 1890 : «Mirbeau est devenu un "maître jardinier". Il ne pense qu'à cela et à Maeterlinck le Belge.»

«On a dîné très gaiement, puis il a fallu voir les toiles à la lumière : premier enthousiasme de Mirbeau. […] Il a fallu revoir les toiles au jour.

Là, l'enthousiasme de Mirbeau a débordé; […] ce soir les conversations artistiques et littéraires m'ont fait

dépasser l'heure du coucher. [...] Enfin, je suis content que mes toiles soient trouvées bien, mais il est vrai que Mirbeau est tellement fanatique.»

Monet à Alice Hoschedé,
[Belle-Ile,] 4 novembre 1886

«Je suis allé passer huit jours avec Monet dans son île de Belle-Ile. Et je l'attends dans mon île de Noirmoutier; [...] il a fait de très grandes choses : ce sera une face nouvelle de son talent. Un Monet terrible, formidable. [...] C'est un homme de courage héroïque, que notre ami Monet, et si quelqu'un avec vous mérite de réussir c'est bien lui.»

Mirbeau à Rodin, novembre 1886

«M. Claude Monet comprit que, pour arriver à une interprétation à peu près exacte et émue de la nature, ce qu'il faut peindre, dans un paysage, ce ne sont pas seulement ses lignes générales, ou ses détails partiels, ou ses localisations de verdures, de terrains, c'est l'heure par vous choisie où se caractérise ce paysage : c'est l'instantanéité. Il observa que, dans un jour égal, un effet dure à peine trente minutes. Il s'agissait donc de rendre l'histoire de ces trente minutes, c'est-à-dire, ce que dans un morceau donné de nature, elles expriment de lumière harmonique et de mouvements concordants. Cette observation s'applique aussi bien aux figures, qui ne sont en réalité qu'un ensemble d'ombres, de lumières, de reflets, toutes choses mobiles et changeantes, qu'au paysage. Le *motif* et l'instant du *motif* une fois choisis, il jetait sur la toile sa première impression.»

Mirbeau, préface du catalogue
de l'exposition «Monet-Rodin»,
Paris, galerie Georges Petit, 1889

Monet et Romain Rolland

Romain Rolland aimait à visiter les musées, les expositions : ici «Les Nymphéas, séries de paysages d'eau» chez Durand-Ruel en 1909.

«Vous, que j'admire entre tous les artistes français d'à présent. Un art comme le vôtre est la gloire d'un pays et d'un temps. Quand je suis un peu dégoûté par la médiocrité de la littérature et de la musique actuelles, je n'ai qu'à tourner les yeux vers la peinture où fleurissent des œuvres comme vos *Nymphéas*, pour me réconcilier avec notre époque artistique, et sentir qu'elle vaut les plus grandes qui aient jamais été.

Mon admiration n'est pas d'hier. Elle date de plus de vingt ans, lorsque encore au lycée, je voyais pour la première fois une exposition de vos œuvres (les *Rochers battus par la mer*).»

Romain Rolland à Monet,
14 juin 1909

Scène tirée de la pièce de Sacha Guitry *Histoire de France* mettant face à face Monet (interprété par Guitry en personne) et Clemenceau (joué par Jean Périer) à Giverny, en 1918.

Monet et Sacha Guitry

L'auteur dramatique, qui était un habitué de Giverny et recevait le peintre à Yainville, ne manquait jamais d'adresser à Monet «deux fauteuils» pour les générales ou premières de ses pièces.

«Je reçois à l'instant deux places pour la générale de Sacha*. Je viendrai donc demain avec ma belle-fille et nous espérons vous voir au théâtre.»

Monet
à G. ou J. Bernheim-Jeune,
Giverny,
2 octobre 1916

* *Faisons un rêve* aux Bouffes-Parisiens, le 3 octobre 1916.

«Mon cher Sacha, Je suis très touché de votre lettre et très sensible à vos bons souhaits. Je conserve un souvenir inoubliable des bons moments passés chez vous, avec notre cher Mirbeau.»

Monet à Sacha Guitry,
Giverny, 5 janvier 1923

Monet et Geffroy

Leur rencontre eut lieu à Belle-Ile en 1886. Après plus de trente années écoulées à analyser l'évolution artistique de Monet, l'ancien critique de «La Justice» lui consacre un ouvrage.

«Eh bien! mon cher Geffroy, vous deviez si bien m'annoncer votre venue ici et voilà déjà presqu'un mois de cela. […] Allons, un bon mouvement, et annoncez-moi votre venue prochaine pour le jour que vous voudrez. […] J'ai eu votre article sur mon exposition. Je vous en remercie. C'est toujours vous qui dites le mieux ce qu'il y a à dire et ce m'est toujours un plaisir d'être louangé par vous. […] Votre vieil ami.»

Monet à Geffroy,
Giverny, 1er juin 1909

«Son œuvre, en effet, ne ressemble à aucune de celles qui se déploient au cours de l'histoire de l'art. Il aurait pu, s'il avait continué son étude des figures, laisser une évocation du monde moderne, des êtres et des spectacles. Il a quitté cela pour une représentation, de plus en plus complexe, magique et évoquée, des aspects de la nature révélés par la lumière. […] Son œuvre […] est une révélation et un poème, qui montre un univers que personne n'avait vu avant lui.»

Gustave Geffroy,
Claude Monet, sa vie, son œuvre,
Paris, 1922 (avant-propos)

«Cher ami, Je venais de vous écrire lorsque m'est parvenu votre livre* avec la si amicale dédicace. Je n'ai pas besoin de vous dire combien je suis touché, toute modestie à part, du bien que vous dites de mes œuvres et de moi-même. […] De tout ce que vous avez si bien exprimé de ma vie, de mon labeur, je laisse naturellement à part tout ce qui est de documentation, malgré tout l'intérêt que cela peut avoir pour d'autres et je vous remercie du fond du cœur, […] merci encore pour tout ce qui est beau dans ce livre.

Votre vieil ami.»

Monet à Geffroy,
Giverny, 25 juin 1922

* G. Geffroy, *Cl. Monet, sa vie, son œuvre*, 1922.

Monet et Clemenceau

Lorsqu'il réconforte le peintre atteint de cataracte, l'homme politique, devenu aussi critique d'art, se souvient d'avoir été un médecin. Monet apprécie l'attitude «affectueuse» adoptée par Clemenceau au cours des dernières années.

«Bien cher ami,

«J'ai pu juger que l'homme était chez vous à la hauteur de l'artiste. […] Et voilà maintenant que, sans ma permission, vous me bombardez de ce monstrueux caillou de lumière. Je demeure stupide et ne sais plus que dire. Vous taillez des morceaux de l'azur pour les jeter à la tête des gens. Il n'y aurait rien de si bête que de vous dire merci. On ne remercie pas le rayon de soleil.

Je vous embrasse de tout cœur.»

Clemenceau à Monet,
Paris, 23 décembre 1899

* Peinture de Monet exécutée dans la Creuse et donnée à Clemenceau : *Le Bloc.*

«Mon cher Clemenceau, Je vous ai télégraphié ce matin pour vous exprimer ma joie, mais je tiens à ce que vous sachiez toute ma reconnaissance pour ce que vous venez de faire pour Manet*.

J'avais bien compris l'autre jour que vous prendriez à cœur ce que je venais vous demander et je vous en remercie de tout mon cœur.»

Monet à Clemenceau,
Giverny, 8 février 1907

* Grâce à l'intervention de Clemenceau, l'*Olympia* vient d'être transférée du musée du Luxembourg au musée du Louvre.

«Et voilà donc mon vieux Clemenceau au pouvoir. Quelle charge pour lui, puisse-t-il faire de la bonne besogne malgré toutes les embûches qui vont lui être créées! Quelle belle énergie tout de même!»

Monet à G. ou J. Bernheim Jeune,
Giverny,
26 novembre 1917

«Cher et grand ami, Je suis à la veille de terminer deux panneaux décoratifs, que je veux signer du jour de la Victoire, et viens vous demander de les offrir à l'Etat par votre intermédiaire. C'est peu de chose, mais c'est la seule manière que j'aie de prendre part à la victoire. […]

Je vous admire et vous embrasse de tout mon cœur.»

Monet à Clemenceau,
12 novembre 1918

«Clemenceau est toujours fidèle et vient souvent me voir, cela lui semble faire du bien de venir causer d'autre chose et en même temps il me réconforte. Quel homme!»

Monet à Geffroy,
Giverny,
8 décembre 1919

«Mon pauvre vieux maboul,

Il vous est arrivé une cataracte double. Ces choses-là arrivent à tout le monde. Vous l'avez plus cruellement ressentie parce que vous êtes un artiste hors pair, et que vous avez entrepris quand votre vue défaille de faire plus beau qu'avec vos deux yeux. Le plus admirable, c'est que vous y avez réussi. Voilà les éléments de votre présent malheur.

Vous avez passé votre vie entre des crises de succès et des réactions de défiance envers vous-même. C'est la condition même de votre triomphe. Cela continue avec l'aggravation d'une rétine surmenée. Vous avez décidé que votre œuvre interrompue quand vous avez été à bout de course, serait reprise avec une demi-vue. Et vous avez trouvé moyen de produire un chef-d'œuvre achevé (je parle du panneau du nuage). […] Dans vos derniers panneaux, j'ai trouvé la même puissance *créatrice* – peut-être encore plus haut montée. […] Je suis convaincu que vous franchirez *la grande douve des tribunes* plusieurs fois encore. Rendez les mains et aidez de l'éperon. Il m'est plus facile de vous le dire, qu'à vous de le faire. Mais vous êtes Monet.»

Clemenceau à Monet,
Paris, 1er mars 1924

«Monet n'annonça point de doctrine. On peut même dire qu'il se calfeutra de silence pour laisser aux fougues de sa brosse virile toute leur liberté. Confiant dans l'inaltérable droiture de sa vision, il s'obstina farouchement à peindre ce qu'il voyait, et comme il le voyait, en dehors des conventions d'atelier qui, jusque-là, avaient régi son art.

Assailli d'une implacable violence, il douta de sa main, à certaines heures, mais jamais de son œil, et par une héroïque application d'efforts toujours mieux soutenus, agrandit son domaine au delà de ce qu'il avait rêvé, pour mourir dans le plus vif éclat d'un incomparable succès. Triomphale gageure contre l'ordinaire des destinées. […]

L'œil de Monet, il n'était rien de moins que l'homme tout entier. Une heureuse table des plus délicates sensibilités rétiniennes ordonnait toutes réactions sensorielles pour des jeux de suprême harmonie où nous trouvons une interprétation des correspondances universelles. Ce phénomène est apparemment la qualité première chez tous les maîtres de la peinture. Ce qui nous frappe en Monet, c'est que tous les mouvements de la vie viennent s'y subordonner. […]

D'où vient donc le mystère? Simplement de ce qu'il n'y a pas deux d'entre nous qui soient identiquement doués de la même rétine, et que nous n'avons rien à demander au peintre digne de ce nom, sauf de nous offrir une interprétation du monde accessible à la moyenne des rétines suffisamment appropriées. Ce qui fait le prodige de la rétine de Monet, c'est qu'à moins d'un mètre de distance, dans le peloton de couleurs ou de tons agglomérés, par juxtapositions ou superpositions, en un champ d'inextricables mélanges, il voit la représentation du modèle aussi justement de près que de loin. […]

La pratique de Monet lui est venue directement de l'œil à la brosse, sans que jamais il ait prétendu doctriner. Il était peintre né : c'est la raison supérieure qui l'a irrésistiblement poussé à regarder toujours plus avant dans l'intimité des choses, jusqu'aux rencontres de visions auxquelles nul encore ne s'était arrêté.»

Georges Clemenceau,
Cl. Monet, les Nymphéas, 1928

Monet devant son chevalet

Ennemi des théories en peinture et aimant à rappeler qu'«un peintre a mieux à faire que d'écrire», Monet s'est rarement exprimé sur l'art. Toutefois ses lettres livrent des réflexions instructives sur sa manière de travailler, sur son approche des différents motifs, et elles mettent en évidence à quel point la peinture fut pour lui une préoccupation de tous les instants, une «obsession» selon ses propres mots.

Le dessin? «avec le pinceau et la couleur...»

Monet se définit lui-même comme un peintre.

«Cher Monsieur...

Je suis très embarrassé pour vous répondre [...], ne dessinant jamais qu'avec le pinceau et la couleur et ayant toujours refusé à mes meilleurs amis de me livrer à un travail que j'ignore totalement. Il m'est très pénible de vous répondre par un refus. [...] Je possède encore quelques rares croquis de jeunesse, bien peu intéressants et peu dignes d'être reproduits.

Monet à (?),
Giverny, 5 avril 1914

Peindre «devant la nature»

«J'avais deux études de pommiers chargés de fruits qu'il m'a fallu abandonner : lorsque je suis arrivé à l'endroit pour y travailler, il n'y avait plus trace de pommes, toutes avaient été cueillies. Voilà donc encore deux toiles perdues [...] : cela est décourageant, et j'envie les gens qui peuvent peindre de chic.»

Monet à Duret,
Vétheuil, 3 octobre 1880

«Non, je ne suis pas un grand peintre, grand poète. [...] Je sais seulement que je fais ce que je peux pour exprimer ce que j'éprouve devant la nature.»

Monet à Geffroy,
Giverny, 7 juin 1912

«J'ai toujours eu horreur des théories, [...] je n'ai que le mérite d'avoir peint directement devant la nature en cherchant à rendre mes impressions devant les effets les plus fugitifs, et je reste désolé d'avoir été la cause du nom donné à un groupe dont la plupart n'avait rien d'impressionniste.»

Monet à E. Charteris,
Giverny, 21 juin 1926

«La mer, qui est un peu beaucoup mon élément»

C'est une confidence faite depuis Bordighera le 3 mars 1884. Le peintre recherche ce motif de prédilection, présent dès ses débuts, sous différents horizons, tout au long de son existence.

«Vous savez ma passion pour la mer, et celle-ci est si belle. Instruit comme je le suis et ne cessant de l'observer, je suis sûr que j'arriverais à faire des choses tout à fait bien, si je vivais ici des mois encore. Je sens que chaque jour je la comprends mieux, la gueuse, et certes ce nom lui va bien ici, car elle est terrible; elle vous a de ces tons d'un vert glauque. [...} Bref, j'en suis fou, mais je sais bien que pour peindre vraiment la mer, il faut la voir tous les jours, à toute heure et au même endroit pour en connaître la vie.»

Monet à Alice Hoschedé
[Belle-Ile,] 30 octobre [1886]

«Et voilà ses premières marines : la mer normande, Le Havre, Trouville, Honfleur, la mer surprise dans ses plus mystérieux rythmes, fixée dans sa plus lointaine atmosphère avec ses solitudes bercées par l'éternelle lamentation des vagues, avec ses fourmillements de bateaux, ses plages de sable, ses falaises, ses rochers; la mer, où il [Monet] devait mettre une des grandes passions de sa vie, et par laquelle, en poète magnifique, il traduisit physiquement la sensation poignante de l'infini.»

Mirbeau, préface du catalogue
de l'exposition «Monet-Rodin», 1889

De l'exécution des «séries»

Depuis les premières «séries» (Meules, Peupliers, Cathédrales...), le procédé a progressé jusqu'à une systématisation extrême : les toiles sont peintes en atelier, et souvent en fonction d'un effet d'ensemble. Monet est alors accusé de travailler d'après photographie.

«Non, je ne suis pas à Londres si ce n'est par la pensée, travaillant ferme à mes toiles. [...] Pour le travail que je fais il m'est indispensable de les avoir toutes sous les yeux et à vrai dire pas une seule n'est définitivement terminée. Je les mène toutes ensemble ou du moins un certain nombre.»

Monet à Durand-Ruel,
Giverny, 23 mars 1903

«Comme vous, je suis désolé de ne pouvoir exposer cette année la série des *Nymphéas* [...]. Et ce n'est pas parce que je tiens à en exposer beaucoup que je retarde cette exposition, certes non, mais j'en ai vraiment trop peu de satisfaisantes pour déranger le public. [...] Ce serait du reste très mauvais de montrer si peu que ce soit de cette nouvelle série, tout l'effet n'en pouvant être produit que par une exposition d'ensemble. En plus de cela j'ai besoin d'avoir sous les yeux les choses faites, pour les comparer à celles que je vais faire.»

Monet à Durand-Ruel,
Giverny,
27 avril 1907

«M. L. A. Harrison [...] disait toutes sortes de méchancetés et critiquait tout [...] : "Monet peint une foule de tableaux dans son atelier : encore dernièrement, il m'a demandé de lui envoyer une photographie des ponts de Londres et du

Parlement pour lui permettre de finir ses vues de la Tamise."»

Durand-Ruel à Monet,
Paris, 11 février 1905

«Cher Monsieur Durand. Vous avez bien tort de vous préoccuper des choses que vous me rapportez, qui ne prouvent que de la malveillance et de la jalousie et qui me laissent absolument froid. Je connais [...] Mr. Harrison que Sargent avait chargé de me faire faire une petite photo du Parlement dont je n'ai jamais pu me servir. Mais cela ne signifie pas grand-chose, et que mes *Cathédrales*, mes *Londres* et autres toiles soient faites d'après nature ou non, cela ne regarde personne et ça n'a aucune importance. Je connais tant de peintres qui peignent d'après nature et ne font que des choses horribles.»

Monet à Durand-Ruel,
Giverny, 12 février 1905

«Mes œuvres appartiennent au public»

Ce sont elles qu'il faut interroger pour connaître l'artiste. Monet éprouve une profonde réticence à parler de lui : «Je m'en tiens à mes pinceaux» (à Louis Vauxcelles, 28 septembre 1900).

«Je suis vieux et vis retiré. J'ai horreur de la réclame, des interviews et de tout ce qui y ressemble. L'on peut parler et discuter mes œuvres, mais ma vie ne regarde personne.»

Monet à Arnyvelde,
Giverny, 19 novembre 1913

«J'espérais que vous alliez tout à fait renoncer à votre projet, ce dont en moi-même j'étais fort content, n'aimant guère être mis en évidence et, sans fausse modestie, ne m'en croyant pas digne,

Monet admet ses proches et des visiteurs dans son atelier (vers 1900).

loin de là. J'ai fait comme peintre ce que j'ai pu et cela me semble assez. Je ne veux pas être comparé aux grands maîtres du passé, et ma peinture appartient à la critique : cela est suffisant. Vous savez toute la sympathie que j'ai pour M. Fénéon, [...] je serai très heureux de le recevoir et de causer avec lui, mais lui dicter mes souvenirs, non, je m'y refuse.»

Monet à G. ou J. Bernheim-Jeune,
Giverny, 24 novembre 1918

«Mes œuvres appartiennent au public, et l'on en peut dire ce que l'on voudra : j'ai fait ce que j'ai pu, mais me prêter à des questionnaires, je m'y refuse, n'y voyant aucun intérêt.»

A Geffroy, Giverny, 20 janvier 1920

«Ah, la peinture, quelle torture!»

Découragement et insatisfaction habitent souvent le peintre.

«Je suis assez content de mon séjour ici, quoique mes études soient bien loin de ce que je voudrais. C'est décidément affreusement difficile […], et je crois qu'il n'y a guère que des gens qui se contentent d'à peu près. Eh bien, mon cher, je veux lutter, gratter, recommencer […], et il me semble quand je vois la nature, que je vais tout faire, tout écrire, et puis va te faire […} quand on est à l'ouvrage. […]

Tout cela prouve qu'il ne faut penser qu'à cela. C'est à force d'observation, de réflexion que l'on trouve.»

Monet à Bazille,
Honfleur,
15 juillet [1864]

«Depuis un mois je ne peux plus rien faire de bon. J'ai gratté et crevé à peu près tout ce que j'avais fait et je suis très dégoûté de moi : un été superbe perdu.

Ah, la peinture, quelle torture!

Décidément je ne suis rien de rien.»

Monet à Caillebotte,
Giverny, 4 septembre 1887

«Quand on l'interroge [Monet] sur son art, on sait immédiatement qu'il a été l'éternel mécontent de son travail comparé à son rêve. Il a entrevu dans l'espace une poésie immense d'atmosphère et de lumière qu'il se croit incapable d'avoir fixée. Il se trompe.»

Gustave Geffroy,
Claude Monet, sa vie, son œuvre
(avant-propos),
Paris, 1922

«Tout mon temps à la peinture» ... jusqu'à la fin

Les deuils, la guerre, la cataracte…, autant d'épreuves que Monet tente d'oublier devant son chevalet et dans son jardin de Giverny.

«Je me suis remis au travail : c'est encore le meilleur moyen de ne pas trop penser aux tristesses actuelles, bien que j'aie un peu honte de penser à de petites recherches de formes et de couleurs pendant que tant de gens souffrent et meurent pour nous.»

Monet à Geffroy,
Giverny, 1er décembre 1914

«Je suis l'esclave du [travail], cherchant toujours l'impossible […], je n'ai plus longtemps à vivre et il me faut consacrer tout mon temps à la peinture, avec l'espoir d'arriver enfin à faire quelque chose de bien, à me satisfaire si possible.»

Monet à G. Bernheim-Jeune,
Giverny, 3 août 1918

«Pris par le travail, j'oublie tout, tant je suis heureux d'avoir enfin retrouvé la vision des couleurs. C'est une vraie résurrection.»

Monet à G. Bernheim-Jeune,
Giverny, 6 octobre 1925

«Cher et bon ami, je vais mieux […] au point que je pensais préparer palette et pinceaux pour reprendre le travail, mais des rechutes et reprises de douleur m'en ont empêché. Je n'en perds pas courage pour cela et m'occupe de grands changements dans mes ateliers et de projets de perfectionnement du jardin. Tout cela pour vous prouver que je prends le dessus, avec courage. […]

Sachez enfin que, si les forces ne me reviennent pas assez pour faire ce que je désire à mes panneaux, je suis décidé à les donner tels qu'ils sont ou tout au moins en partie.

A vous plus que jamais.»

Monet à Clemenceau,
Giverny,
18 septembre 1926

Un «jardin de peintre» à Giverny

Dès ses débuts et les années d'Argenteuil et de Vétheuil, Monet s'intéressa aux jardins et les représenta sur ses toiles. A Giverny, où il s'établit à partir de 1883, le peintre devient un «jardinier artiste». S'adonnant à sa passion pour les fleurs et créant un extraordinaire «jardin d'eau», Monet est allé jusqu'à rendre le lieu indissociable désormais de son nom et de son œuvre.

Clemenceau, Monet et Lily Butler sur le pont japonais en 1921.

« Et le jardin, existe-t-il encore des fleurs?»

Durant ses voyages, Monet n'est pas éloigné de Giverny par la pensée. Sans cesser d'interroger Alice sur l'état du jardin, il se préoccupe de la température pour ses fleurs et donne des instructions pour la serre.

«Et le jardin, existe-t-il encore des fleurs? Je voudrais bien qu'il y ait encore des chrysanthèmes à mon retour. S'il fait de la gelée, faites-en de beaux bouquets.»

Monet à Alice Hoschedé
[Etretat, 24 novembre 1885]

«Merci de vos bons soins pour mes chères fleurs, vous êtes une bonne jardinière; il n'est pas urgent encore de

La famille Monet-Hoschedé réunie à Giverny : l'artiste se trouve dans l'angle supérieur gauche, derrière Alice.

déterrer les glaïeuls, mais, quand on le fera, je recommande les plantes vivaces, les anémones, mes jolies clématites.»

Monet à Alice Hoschedé,
[Belle-Ile,] 2 novembre [1886]

«J'ai enfin trouvé des ravenelles. Il y a de très bons jardiniers ici. Donc […] il arrivera à Vernon plusieurs paniers. […] Dans un des paniers, qu'il faudra déballer avec soin, il y aura d'autres plantes, des plantes vivaces, puis des passiflores pour la serre tempérée, ainsi que deux très jolies fleurs jaunes et deux petites capucines curieuses.»

Monet à Alice Monet
[Rouen, 7 mars 1893]

«Ce que tu me dis de mes pauvres rosiers me désole, et je m'attends à bien des désastres. Aura-t-on pensé au moins à couvrir les pivoines japonaises, ce serait un meurtre de ne pas l'avoir fait; et je me réjouis de voir la serre et j'espère bien qu'elle sera encore belle. Quelle joie ce sera pour moi que ce retour!»

Monet à Alice Monet,
Sandviken, 17 mars 1895

« J'ai beaucoup de peine à quitter Giverny surtout maintenant que j'arrange la maison et le jardin à mon goût»

Un aveu fait à Mallarmé quelques mois après l'acquisition de la propriété.

«Je reste et deviens de plus en plus casanier, jouissant des belles choses que j'ai sous les yeux.»

Monet à Gustave Geffroy,
Giverny, 23 août 1900

«Chers amis, je mentirais si je vous disais que je ne suis pas heureux de me retrouver au milieu des miens et de revoir mes fleurs.»

Monet à Sacha Guitry
et Charlotte Lysès,
Giverny, 25 août [1913]

«Merci de votre offre pour enlever mes toiles, mais, malgré tout ce que l'on peut dire et bien que le musée de Rouen ait été mis à l'abri, je ne veux pas croire que je sois jamais obligé de quitter Giverny : comme je l'ai écrit, j'aime encore mieux y périr au milieu de ce que j'ai fait.»

Monet à Gaston Bernheim-Jeune,
Giverny, 21 juin 1918

«Ce que je deviens, vous le devinez bien : je travaille et non sans difficulté, car ma vue s'en va chaque jour, et puis je m'occupe énormément de mon jardin : cela m'est une joie, et, par les beaux jours que nous avons eus, je jubile et admire la nature : avec cela, on n'a pas le temps de s'ennuyer.»

Monet à Gaston Bernheim-Jeune,
Giverny, 23 février 1920

Le jardinage et les fleurs : une passion partagée entre initiés

Les amis fidèles sont conviés à admirer le jardin. Aux envois de poèmes affectionnés par Mallarmé, aux dons d'œuvres pratiqués entre artistes s'ajoutent les échanges de fleurs : un trait d'union entre les hommes.

«C'est si beau à la campagne, je voulais vous écrire pour que vous veniez voir le jardin si beau en ce moment : ça vaut le voyage et dans 15 jours au plus, ce sera passé.»

Monet à Geffroy, Giverny, 25 mai 1900

«J'attends toujours votre visite promise. C'est le moment, vous verrez un jardin splendide, mais il faut vous hâter. […] Plus tard tout sera défleuri. Entendez-vous avec Geffroy et écrivez-moi. Je compte sur vous. Puis j'ai des tas de toiles nouvelles. En toute amitié. Secouez Geffroy et venez.»

Monet à Clemenceau,
Giverny, 29 mai 1900

«Je ferai en sorte que ces commandes [de rosiers] soient livrées au plus vite, et j'irai (à) Yainville en emportant les plantes que je pense vous donner […] et ferai planter le tout devant moi.»

Monet à Charlotte Lysès
[et Sacha Guitry],
Giverny, 31 mars [1914]

«Je vous ai adressé en gare des Sables, un panier de plantes (*Aubretias*), c'est la bordure violette que vous aimez. Je pense qu'elle viendra bien chez vous

avec un peu de terre (*au soleil*).
[…] je voudrais vous faire envoyer des rosiers de Pennsylvanie qui viennent très bien au bord de la mer.»

Monet à Clemenceau,
Giverny, 29 septembre 1923

«Je serai fort heureux de vous recevoir, […] je préviendrais Monet et nous pourrions passer chez moi une journée charmante. Nous causerions peinture et fleurs et bateaux, trois choses dont tous les trois nous raffolons.»

Mirbeau à Caillebotte
(lettre non datée)

«Dans cet intérieur à notre goût…»

La maison, ainsi évoquée par Monet (à Alice, depuis la Norvège, 31 janvier 1895) est indissociable du jardin. Aux côtés d'Alice, maîtresse de maison accomplie jusqu'à sa disparition en 1911, l'artiste sait partager un art de vivre, enrichi par des usages empruntés outre-Manche, avec ceux qui viennent vers lui, et les secrets de cuisine resserrent les liens entre amis.

«Mon cher Mallarmé,
Vous serez bien aimable de m'envoyer la recette pour les girolles, elles abondent en ce moment et la gourmandise me fait vous rappeler votre promesse.»

Monet à Mallarmé,
Giverny, 21 juillet 1890

«Cette maison modeste et pourtant si somptueuse par l'arrangement intérieur et le jardin, ou plutôt les jardins, qui l'entourent. Celui qui a conçu et agencé ce petit univers familier et magnifique n'est pas seulement un grand artiste dans la création de ses tableaux, il l'est aussi dans le décor d'existence qu'il a su installer pour s'y plaire. […] Cette maison et ce jardin, c'est aussi une

Déjeuner du 12 novembre 1902
Turbot sauce hollandaise
Cuissot Chevreuil chasseur
Dindes rôties
Pâté de foie gras
Salade Vénitienne
Ecrevisses
Praliné
Glaces - Nelusko - Alhambra

Menu du repas de mariage de Germaine Hoschedé, à Giverny, le 12 novembre 1902.

œuvre, et Monet a mis toute sa vie à la créer et à la parfaire.»

Gustave Geffroy,
Cl. Monet…, 1922

Quand le Japon s'exprime dans un jardin de Normandie

Le verger ou «clos normand» qui s'étendait sous les fenêtres de cette maison appelée autrefois «Le Pressoir» laisse progressivement la place au «jardin fleuri» créé par le peintre, avec en particulier des espèces florales et des arbres en fleurs en provenance du Japon (cerisiers, pruniers et pommiers) très décoratifs. Les emprunts à l'art des jardins japonais sont davantage manifestes dans le «jardin d'eau» (pont, bambous, nymphéas...).

«Je vous remercie d'avoir pensé à moi pour les fleurs d'Hokusaï*. [...] Vous ne me parlez pas des coquelicots et c'est là l'important, car j'ai déjà les iris, les chrysanthèmes, les pivoines et les volubilis.»

Monet à Maurice Joyant,
Giverny, 8 février 1896

* Estampes japonaises.

«Ici ce sont des tas d'arbres en fleurs : pruniers abricotiers du Japon, les narcisses fleurissent [...] nos saules pleureurs complètement verts.»

Monet à Jean-Pierre Hoschedé,
[Giverny,] 8 février 1916

«J'ai été flatté de vos deux lettres, ayant la plus profonde admiration pour l'art japonais et une grande sympathie pour les Japonais [...] C'est avec le plus grand plaisir que j'ai reçu vos jolies estampes.»

Monet à Shintaro Yamashita,
Giverny, 19 février 1920

«Un jardin de tons et de couleurs plus encore que de fleurs»

Cet univers créé par Monet a inspiré nombre d'écrivains (Duret, Mirbeau, Proust, Geffroy, Clemenceau, Aragon...) qui, tous, ont perçu l'originalité de ce «jardin de peintre».

«Si je puis voir un jour le jardin de Claude Monet, je sens bien que j'y verrai, dans un jardin de tons et de couleurs plus encore que de fleurs, un jardin qui doit être moins l'ancien jardin-fleuriste qu'un jardin coloriste, si l'on

Monet et Geffroy devant le pont japonais photographiés par Sacha Guitry (vers 1920).

peut dire, des fleurs disposées en un ensemble qui n'est pas tout à fait celui de la nature, puisqu'elles ont été semées de façon que ne fleurissent en même temps que celles dont les nuances s'assortissent, s'harmonisent à l'infini en une étendue bleue ou rosée, et que cette intention de peintre puissamment manifestée a dématérialisées, en quelque sorte, de tout ce qui n'est pas la couleur.»

Proust, «*Les Eblouissements*,
par la comtesse de Noailles»
Le Figaro, 15 juin 1907

«Le jardin de Monet compte parmi ses œuvres, réalisant le charme d'une adaptation de la nature aux travaux du peintre de la lumière. Un prolongement d'atelier en plein air, avec des palettes de couleurs profusément répandues de toutes parts pour les gymnastiques de l'œil, au travers des appétits de vibrations dont une rétine fiévreuse attend des joies jamais apaisées. […]

Il n'est pas besoin de savoir comment il fit son jardin. Il est bien certain qu'il le fit tel que son œil le commanda successivement, aux invitations de chaque journée, pour la satisfaction de ses appétits de couleurs.»

Clemenceau,
Cl. Monet, les Nymphéas, 1928

«La lumière était si belle sur les fleurs… Qui sait, s'il les voyait bleues, le grand vieillard…? On disait que ses yeux étaient malades. Il pouvait devenir aveugle. Terrible à penser. Un homme dont toute la vie était dans les yeux… Les fleurs bleues feraient place à des roses. Puis il y en aurait de blanches. Chaque fois, d'un coup, c'était comme si on repeignait le jardin. A quel degré de nostalgie faut-il en être arrivé pour ordonner cela? […] Aurélien était là, dans le jardin de Claude Monet.»

Aragon, *Aurélien*, 1944

Giverny se réveille et renaît à la vie en 1980…

La propriété de Monet a été léguée par le second fils de l'artiste, Michel (décédé en 1966), à l'Académie des Beaux-Arts. Sous l'autorité de M. Gérald Van der Kemp, membre de l'Institut, d'importants travaux ont été effectués afin de restituer aux lieux, étroitement liés à l'œuvre de Monet, l'aspect qu'ils offraient du vivant du peintre.

«Il est indispensable de faire un pèlerinage à Giverny, dans ce sanctuaire fleuri, pour mieux comprendre le Maître, pour mieux saisir les sources de son inspiration et pour l'imaginer toujours vivant parmi nous.»

Gérald Van der Kemp, préface
à Cl. Joyes, *Monet et Giverny*, 1985

A l'Orangerie : un testament pour la postérité

N'ayant pas remis de son vivant les «Grandes Décorations» offertes à l'Etat, Monet est mort en 1926 sans connaître l'accueil qui leur serait réservé. Si des réticences furent émises par ceux qui y voyaient la «fin de l'impressionnisme», c'est un sentiment de profonde admiration qui s'exprime chez la plupart des créateurs et penseurs de notre siècle; certains vont jusqu'à percevoir une dimension cosmique, voire sacrée, dans cette «chapelle» de l'Orangerie des Tuileries, conçue selon le vœu du peintre et inaugurée le 17 mai 1927.

«8 juillet 1927 – A l'Orangerie dans deux grandes salles ovales les *Nymphéas* de Claude Monet. Des miroirs d'eau où affleurent les Nymphés à toutes les heures de la journée, le matin, l'après-midi, le soir, la nuit. Claude Monet, au terme de sa longue vie, après avoir étudié tout ce que les différents motifs de la nature pouvaient répondre à la question de la lumière en fait d'ensembles colorés, a fini par s'adresser à l'élément lui-même le plus docile, le plus pénétrable, l'eau à la fois transparence, irisation et miroir. Grâce à l'eau, il s'est fait le peintre indirect de ce qu'on ne voit pas. Il s'adresse à cette surface presque invisible et spirituelle qui sépare la lumière de son reflet. L'azur aérien captif de l'azur liquide. Surface attestée par les seules fleurs, corolles de feuilles et de pétales, émanations végétales de la profondeur, bulles, œufs ouverts. Les toiles sont collées en longues bandes concaves dont on est enveloppé, on voit à la fois de face et latéralement. La lumière battue dans du bleu, chimie de l'eau. La même passion de la couleur chez Claude Monet que chez les faiseurs de vitraux de nos cathédrales. La couleur monte du fond de l'eau par nuages, par tourbillons.»

Paul Claudel,
Journal, 1904-1932,
au 8 juillet 1927

«Il n'y a de lumière pour un peintre, que dans la couleur. [...] Il n'y a qu'à voir, à l'Orangerie, où l'amour de ce phénomène a conduit Claude Monet : au suicide plastique. Ophélie de la peinture, son âme traîne sans gloire dans le linceul des nénuphars.»

André Lhote, «Monet et Picasso»,
N.R.F., 1932,
réédition *Les Invariants plastiques*, 1967

«Là gît, à proprement dire, le miracle des *Nymphéas* qui nous représente l'ordre des choses autrement que, jusqu'ici, nous ne l'avons observé. Rapports nouveaux, lumières nouvelles. Aspects toujours changeants d'un univers qui s'ignore, et cependant s'exprime en nos sensations. Nous admettre à des émotions inconnues jusque-là, n'est-ce pas obtenir de l'Infini muet de nouveaux états d'assimilation? N'est-ce pas pénétrer plus avant dans le monde lui-même, dans le monde impénétrable? Voilà ce qu'à découvert Monet en regardant le ciel dans l'eau de son jardin. Et voilà ce qu'à notre tour, il prétend nous révéler. Beaucoup d'humains seront rebelles, la plupart indifférents. Un public, dira-t-on, n'est pas beaucoup plus qu'un bruit de méconnaissances. A tout hasard, soyons reconnaissants des silences qui sont parfois l'une des premières formes de l'admiration.

[...] Cette émotion, qui ne l'a ressentie, même sans la bien comprendre tout d'abord, devant le coup de théâtre des *Nymphéas*?

[...] Ainsi recevons-nous simultanément sur notre écran visuel (lui-même en perpétuel changement), des indications plus ou moins coordonnées de ce qui a été et de ce qui est en voie d'être par les relais insaisissables de l'Infinité. Et par cette raison même, ne voilà-t-il pas que l'œil, engagé sur les plans invertis de l'eau dormante et du ciel, en leurs agitations profondes, poursuit imaginativement le phénomène sans jamais trouver une éventuelle fixation du temps et de l'espace dans l'éternel devenir.

Ainsi, Monet a peint l'action, l'action de l'univers aux prises avec lui-même, pour se faire et se continuer à travers des étapes d'instantanés surpris aux surfaces réfléchissantes de son étang de nymphéas. Ce drame couronné par l'éclair d'incendie dont nous aveugle, au dernier panneau des Tuileries, le soleil couchant dans les roseaux desséchés du marécage hivernal, où renaîtront les fleurs enchanteresses du printemps en préparation dans l'abîme insondable des renouvellements éternels. [...]

Là se déroule le drame des *Nymphéas* sur la scène du monde infini, conscient par l'homme dont les alternatives de maîtrise et de soumission font l'argument du livret éternel. Dans l'océan de l'étendue et de la durée où se ruent tous les torrents de lumière à l'assaut des rétines humaines, des tempêtes d'arcs-en-ciel se heurtent, se pénètrent, se brisent en poudres d'étincelles, pour s'adoucir, se fondre, se disperser et se rejoindre en avivant l'universel tumulte

totale harmonie. Un incomparable champ d'échanges lumineux entre le ciel et la terre, couronné d'une émotion du monde qui nous exalte au plus haut de l'infinie communion des choses, dans le suprême achèvement de nos sensibilités.»

Georges Clemenceau,
Cl. Monet, les Nymphéas, 1928

«Une marine que l'on pourrait invertir, par exemple, serait un mauvais tableau. Turner lui-même – si audacieux,

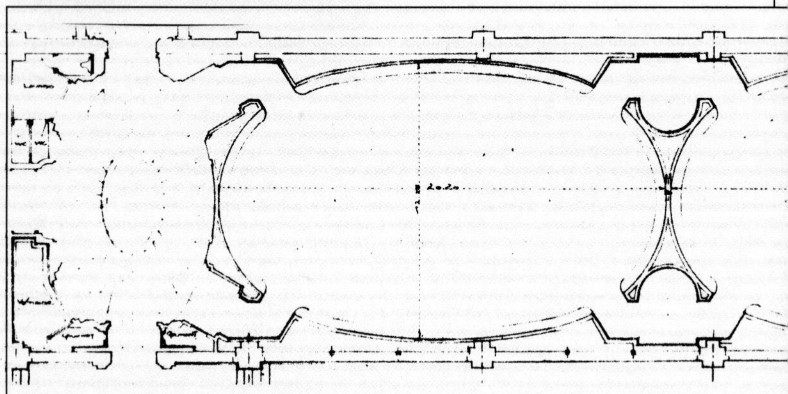

où s'exaltent nos émotivités. Cet indicible ouragan, où par la magie du peintre, notre œil éperdu reçoit le choc de l'univers, c'est le problème du monde inexprimable qui se révèle à notre sensibilité. […]

Ainsi Monet nous apporte, dans sa plénitude, la nouveauté d'une vision des choses qui fait appel aux naturelles évolutions de notre organisme visuel pour saisir l'adaptation du peintre aux énergies des sensibilités universelles. Une succession de passages subtils nous conduit de l'image directe à l'image réfléchie et surréfléchie, par des diffusions de lumières transposées dont les valeurs s'engagent et se dégagent en

pourtant, dans ses fantasmagories lumineuses – ne se risqua jamais à peindre un paysage maritime *réversible*, c'est-à-dire dans lequel le ciel pourrait être pris pour l'eau et l'eau pour le ciel. Et si l'impressionniste Monet, dans la série équivoque des *Nymphéas*, a fait ainsi, on peut dire qu'il a trouvé sa pénitence dans le péché; car jamais les *Nymphéas* de Monet n'ont été, ni ne seront tenus, dans l'histoire de l'art, pour un produit normal : plutôt pour un caprice, qui, s'il caresse un moment notre sensibilité, manque de tout titre à être accueilli dans les archives ennoblissantes de notre mémoire. Récréation d'un quart d'heure; objet fongible situé d'ores et

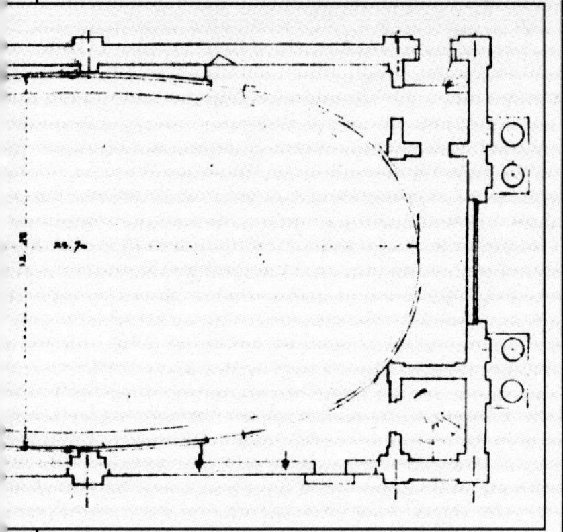

déjà dans le voisinage immédiat de ce qui est purement décoratif entre les réalisations de l'art industriel; frère des arabesques, des tapisseries, des plats de Faenza; chose, enfin, que l'on voit sans regarder, que l'on saisit sans pensée et que l'on oublie sans remords.»

Eugenio d'Ors,
La Vie de Goya, 1928

«L'œuvre dans lequel Monet s'est libéré de toute tradition, mais où déjà il n'y a plus la fraîcheur initiale, est présenté plus abondamment et se termine par deux salles spéciales avec des panneaux du maître, faits "pour l'éternité", représentant des nymphéas sur l'étang de sa propriété de Giverny. Il en résulte une sorte de supériorité trompeuse et, certainement, les admirateurs du maître qui ont toléré cela, ont rendu plutôt un mauvais service à la mémoire de Monet.

[…] Sans doute dans les *Nymphéas* il y a des qualités. Tout le monde ne fait pas cela; si on examine bien ces «étendues barbouillées», on y voit une expérience technique et la sonorité de la palette de Monet. Mais tout de même, comme c'est vide, quel malentendu évident, quel couronnement étrange et vraiment pitoyable de la carrière de l'auteur de la *Femme en vert* et du *Déjeuner dans la forêt*! Quel dommage que les exigences des recherches créatrices obligent en un tel moment l'artiste à trahir ses recherches initiales et quelle vanité le séduit dans ces problèmes de décoration monumentale alors que Monet n'était pas doué du tout pour cela. Et quelle ironie que la France, qui a permis en son temps, d'un cœur léger, le rapt des chefs-d'œuvre les plus remarquables de son fils glorieux, érige pour ses œuvres les plus faibles et les plus vastes tout un temple, ressemblant plus, d'ailleurs, à ces cabines-salons des paquebots.»

Alexandre Benois,
à l'occasion de l'exposition «Monet»,
Orangerie, 1931, repris dans
Alexandre Benois réfléchit, Moscou, 1968

«Les *Nymphéas* de l'Orangerie sont une œuvre entièrement construite, et l'étang réel n'est plus là comme modèle, mais comme maître. [...} On voit à quel point la peinture du dernier Monet est décidément chose mentale. [...]

Grands cils des roseaux ou joncs riverains, verticales laineuses des troncs de la deuxième salle, petits cils verticaux des feuilles de saule, surfaces bouchardées des nuages renversés, horizontales plus ou moins longues, plus ou moins animées de la surface de l'eau, grands paraphes enveloppants pour les feuilles de nymphéas avec des taches éclatantes pour les fleurs : nous sommes en présence de tout un système de signes.

Le relèvement de l'horizon déjà si sensible autrefois est maintenant absolu, le ciel ou le lointain n'apparaissent plus que dans leur renversement, et la surface de l'eau se relève vers la verticale tout autour de nous, ce qui provoque un rêve de vol ou de plongée. [...]

Dans l'étang réel de Giverny, l'eau aurait renversé le monde même s'il n'y avait pas eu les fleurs, mais dans l'œuvre définitive la figuration n'apparaît que par leur présence.»

Michel Butor,
Art de France, 1963

«C'est inimaginable – des tableaux aussi vastes, aussi démesurés ont été faits devant un petit étang de rien du tout.»

Riopelle, cité par J.-D. Rey,
Galerie-Jardin des Arts, juillet-août 1974

«Monet consacra ses dernières années à la série lyrique des *Nymphéas.* [...] Je me suis surpris à ôter mon chapeau. Quand une réalité provoque un réflexe si décisif, il n'y a pas à discuter : l'œuvre est forte et haute. Malgré son apparente superficialité, Monet, comme Matisse, atteint à d'aussi hautes conséquences que certaines œuvres sévères. La présentation en chapelle, la lumière d'aquarium, contribuent à cette forte impression; mais tout de même, Monet y est pour quelque chose.»

Ozenfant,
Mémoires 1886-1962, 1968,
au 27 juin 1931

«On peut rêver d'un Claude Monet se dirigeant vers l'emploi des grandes nappes claires et diaprées qui furent le fief de Veronese,

de Tiepolo. Ne rêvons plus, et considérons son œuvre suprême, les *Nymphéas*. Malgré leurs dimensions monumentales elles ne manifestent en rien les caractères de la grande décoration vénitienne ou flamande. Sa disposition d'esprit me paraît être celle d'un grand peintre «de chevalet» qui décide de donner à sa vision un champ assez vaste – assez important – pour qu'elle embrasse le monde. (Un miroir d'eau suffira pour s'identifier à l'Univers.) Vision cosmique, aimerais-je dire, si ce mot n'avait été dévié, ces dernières saisons, et proféré à propos de n'importe qui, de n'importe quoi. Ainsi Michel-Ange, créateur de figures uniques et solitaires attend le jour où une chapelle vaticane lui permettra de prendre son essor, de montrer sa toute-puissance. C'est pourquoi il me plaît très sérieusement de dire de l'Orangerie des Tuileries qu'elle est la Sixtine de l'Impressionnisme. Lieu désert au cœur de Paris, comme donnant le sacre de l'inaccessible à la grande œuvre qu'elle recèle : un des sommets du génie français.»

André Masson,
«Monet, le fondateur»,
Verve, vol.VII,
nos 27 et 28, 1952

BIBLIOGRAPHIE

Catalogue de l'œuvre de l'artiste

– Wildenstein, D., (avec la collaboration de R. Walter), *Claude Monet, biographie et catalogue raisonné*, 4 vol., Lausanne-Paris, La Bibliothèque des Arts, 1974-1985 (5e vol. en préparation) : cette importante somme, à qui le présent ouvrage est très redevable, comprend la publication de la correspondance de Monet.

Quelques ouvrages récents

– Aitken, G. et Delafond, M., *La collection d'estampes japonaises de Claude Monet à Giverny*, Paris, La Bibliothèque des Arts, 1983.
– Distel, A., *Les Collectionneurs des impressionnistes, amateurs et marchands*, Paris, La Bibliothèque des Arts, 1989.
– Gordon, R. et Forge, A., *Monet*, Paris, Flammarion, 1984.
– Hoog, M., *Monet*, Paris, Hazan, 1978.
– Hoog, M., *Les Nymphéas de Cl. Monet au musée de l'Orangerie*, Paris, RMN, 1984; réédition 1987.
– House, J., *Monet*, Londres, 1977.
– Isaacson, J., *Cl. Monet, observation et réflexion*, Neuchâtel, Ides et Calendes, 1978.
– Joyes, Cl., *Monet et Giverny*, Paris, Chêne, 1985.
– Joyes, Cl., *Les Carnets de cuisine de Monet*, Paris, Chêne, 1989
– Piguet, Ph., *Monet et Venise*, Paris, Herscher, 1986.
– Pissarro, J., *Les Cathédrales de Monet, Rouen, 1892-94*, Paris, Anthèse, 1990.
– Rewald, J., *Histoire de l'impressionnisme*, Paris, Albin Michel, 1955; rééd. 1986.
– Tucker, P. H., *Monet at Argenteuil*, New Haven-Londres, Yale University Press, 1982.
– Van der Kemp, G., *Une visite à Giverny* (Guide du musée Monet), Versailles, Edition Lys, 1980.

Catalogues d'expositions récentes

– *Hommage à Monet*, Paris, Grand Palais, RMN, 1980.
– *Cl. Monet au temps de Giverny*, Paris, Centre culturel du Marais, 1983.
– *Monet in Holland*, Amsterdam, Rijksmuseum Vincent Van Gogh, 1986.
– *Monet in London*, Atlanta, High Museum of Art, 1988-89.
– *Monet-Rodin, Centenaire de l'exposition de 1889*, Paris, musée Rodin, 1989-90.
– *Monet in the 90s, The Series Paintings*, Boston, Museum of Fine Arts; Chicago, Art Institute of Chicago; Londres, Royal Academy of Arts, 1990.

MUSÉOGRAPHIE

Près de deux mille peintures de Monet ont pu être recensées; nombre d'entre elles sont conservées dans les musées étrangers et européens.

En France, une trentaine de toiles de l'artiste figurent dans les musées de province. Et à Paris, outre le musée du Petit Palais et le musée Rodin qui possèdent quelques œuvres de Monet, trois musées présentent avec éclat le peintre :
– le musée Marmottan, où sont regroupées des peintures provenant du legs Donop de Monchy (dont la célèbre *Impression, soleil levant*) et du legs Michel Monet, second fils de l'artiste;
– le musée d'Orsay (fermé le lundi) dont les collections comprennent une soixantaine de toiles;
– l'Orangerie des Tuileries, avec la collection Walter-Guillaume et surtout les deux salles consacrées aux *Grandes Décorations de Nymphéas*.

Enfin, à Giverny, le musée Claude-Monet, s'il n'abrite aucune peinture originale, accueille, depuis 1980, le public pour une visite d'autant plus enrichissante que ces lieux (jardins, serres, étang, maison et ateliers) sont étroitement liés à l'œuvre des dernières années.

TABLE DES ILLUSTRATIONS

COUVERTURE

1er plat *La Promenade*. 1875, h./t., 100 x 81 cm. National Gallery of Art, Washington, legs of Mr. and Mrs Paul Mellon.
Dos *Les Dindons*, 1876-1877, h./t., 174,5 x 172,5 cm. Musée d'Orsay, Paris.
4e plat *Impression, soleil levant*, 1872-1873, h./t., 48 x 63 cm. Musée Marmottan, Paris.

OUVERTURE

CHAPITRE I

CHAPITRE II

36b *Lilas temps gris* (détail), *idem.*
37 *La Liseuse*, v. 1872-1874, h./t., 50 x 65 cm. Walters Art Gallery, Baltimore.
38h Détail de la couverture du catalogue de la première exposition impressionniste, 1874.
38b Le Salon des Refusés en 1864, caricature de Cham. Bibl. nat., Paris.
38/39 Titre d'un article paru dans *La Presse*, 1874.
39 *Impression, soleil levant,* 1872-1873, h./t., 48 x 63 cm. Musée Marmottan, Paris.
40/41 *Le Déjeuner,* v. 1873, h./t., 160 x 201 cm. Musée d'Orsay.
42h Edouard Manet, *La Famille Monet au jardin,* 1874, h./t. The Metropolitan Museum of Art, Bequest of Joan Whitney Payson, 1975.
42bg Auguste Renoir, *Mme Monet et son fils dans leur jardin à Argenteuil,* 1874, h./t. National Gallery of Art, Washington.
42bd Auguste Renoir, *Portrait de Mme Claude Monet,* 1872, h./t. Musée Marmottan, Paris.
43h Edouard Manet, *Tête d'homme* (Claude Monet), 1874, lavis d'encre de chine, *idem.*
43b Auguste Renoir, *Claude Monet lisant,* 1872, h./t., *idem.*
44h Edouard Manet, *Monet peignant dans son bateau-atelier à Argenteuil,* 1874, h./t., Neue Pinakothek, Munich.
44b *Le Bateau-atelier,* v. 1874, h./t., 50 x 64 cm. Musée Kröller-Müller, Otterlo.
45 *Régates à Argenteuil,* 1872, h./t., 48 x 75 cm. Musée d'Orsay, Paris.
46/47 *La Maison de l'artiste à Argenteuil,* 1873, h./t., 60,2 x 73,3 cm. The Art Institute of Chicago, Mr. and Mrs. Martin A. Ryerson Collection.
47h Pierre-Auguste Renoir, *Monet peignant dans son jardin à Argenteuil,* v. 1875, h./t. Wadsworth Atheneum, Hartford, Bequest of Anne Parrish Titzell.
48 *Le Pont du chemin de fer à Argenteuil,* v. 1873, h./t., 54 x 71 cm. Musée d'Orsay, Paris.
49 *Le Pont du chemin de fer à Argenteuil,* 1874, h./t., 54,5 x 73,5 cm. Philadelphia Museum of Art, The John G. Johnson Collection.
50 h Mme Hoschedé avec son fils Jean-Pierre, photographie, 1878.
50/51 *Les Dindons,* 1876-1877, h./t., 174,5 x 172,5 cm. Musée d'Orsay, Paris.

CHAPITRE III

52 *La Rue Montorgueil, fête du 30 juin 1878* (détail), 1878, h./t., 80 x 50 cm, *idem*.
53 Portrait de Claude Monet, photographie, v. 1875. Galerie Bernheim-Jeune, Paris.
54 Le Pont-Neuf, photographie, XIXe siècle.
55h *Saint-Germain-l'Auxerrois,* 1867, h./t., 79 x 98 cm. National galerie SMPK, Berlin.
55b Portrait de Renoir, photographie, v. 1875. Musée d'Orsay, Paris.
56 *Le Boulevard des Capucines,* 1873, h./t., 79,4 x 60,6 cm. The Nelson-Atkins Museum of Art, Kansas City (acquired through Kenneth A. and Helen F. Spencer Foundation Acquisition Fund).
57h *Le Boulevard des Capucines,* 1873, h./t., 61 x 80 cm. Musée des Beaux-Arts Pouchkine, Moscou.
57b Bazille, *Autoportrait à la craie.* Musée du Louvre.
58 *La Japonaise,* 1875-1876, h./t., 231,6 x 142,3 cm. Museum of Fine Arts, Boston, 1951 Purchase Fund.
59 *Parisiens au parc Monceau,* 1878, h./t., 72,7 x 54,3 cm. The Metropolitan Museum of Art, Mr. and Mrs. Henry Ittleson, Jr., Fund, 1959.
60 *La Gare Saint-Lazare, vue extérieure,* 1877, h./t., 64 x81 cm, coll. part, France.
61hg *La Gare Saint-Lazare, arrivée d'un train,* 1877, h./t., 83,1 x 101,5 cm. Fogg Art Museum, Harvard University Art Museums, Cambridge, coll. of Maurice Wertheim.
61hd *Le Pont de l'Europe. Gare Saint-Lazare,* 1877, h./t., 64 x 81 cm. Musée Marmottan, Paris.
61b Esquisse préparatoire pour *La Gare Saint-Lazare, arrivée d'un train,* crayon sur papier, *idem.*
62/63 *La Gare Saint-Lazare,* 1877, h./t., 75,5 x 104 cm. Musée d'Orsay, Paris.
64 g Portrait d'Edouard Manet, photographie de Nadar, 1865.
64/65 *La Rue Montorgueil, fête du 30 juin 1878,* 1878, h./t., 80 x 50 cm. Musée d'Orsay, Paris.
65h 3e exposition impressioniste, caricature de Cham in *Le Charivari,* avril 1877. Bibl. nat., Paris.

CHAPITRE IV

66 *La Seine à Vétheuil,* 1879, h./t., 81 x 60 cm. Musée des Beaux-Arts, Rouen.
67 Claude Monet, photographie de Benque, v. 1879. Bibl. nat., Paris.
68 *Eglise de Vétheuil, neige*, 1878-1879, h./t., 52 x 71 cm. Musée d'Orsay, Paris.
69h *La Seine à Vétheuil, effet de soleil après la pluie*, 1879, h./t., 60 x 81 cm, *idem.*
69b Vue générale du village de Vétheuil, photographie, fin du XIXe siècle.
70h *Chrysanthèmes*, 1878, h./t., 54 x 65 cm, Musée d'Orsay, Paris.
70/71 *Camille Monet sur son lit de mort*, 1879, h./t., 90 x 68 cm, *idem.*
71h Portrait de Camille

CHAPITRE V

CHAPITRE VI

1890-1891, h./t., 61,2 cm x 93,1 cm. The Art Institute of Chicago, Mr. and Mrs. W.W. Kimball Coll., 1922.
103g *Champ aux coquelicots* (détail), *idem.*
103d Etude de meules, v. 1890, crayon sur papier. Musée Marmottan, Paris.
104h *Les Meules, fin de l'été, effet du matin*, 1890-1891, h./t., 60,5 x 100,5 cm. Musée d'Orsay, Paris.
104b *Meule, effet de neige, le matin*, 1890-91, h./t., 65,4 x 92,3 cm. Gift of Misses Aimée et Rosamond Lamb in memory of Mr. and Mrs Horatio A. Lamb. Museum of Fine Arts, Boston.
105h *Meules, fin de l'été, effet du matin* (détails), *idem.*
105b *Meule, effet de neige, le matin* (détails), *idem.*
106/107 *Meule, effet de neige, temps couvert*, 1891, h./t., 66 x 93 cm. The Art Institute of Chicago, Mr. and Mrs. Martin A. Ryerson Coll.
108h *Meules, fin de l'été, effet du soir*, 1890-1891, h./t., 60 x 100 cm. The Art Institute of Chicago, Arthur M. Wood in memory of Pauline Palmer Wood.
108b *Meule, dégel, soleil couchant*, 1891, h./t., 64,9 x 92,3 cm. The Art Institute of Chicago, Gift of Mr. et Mrs Daniel C. Searle, 1983.
109 h *Meules, fin de l'été, effet du soir* (détails), *idem.*
109b *Meule, dégel, soleil couchant*, (détails), *idem.*
110/111 *Les Peupliers, trois arbres roses, automne* (détails et ensemble), 1891, h./t., 36 x 29 cm. Philadelphia Museum of Art : Given by Chester Dale.
112g *La Cathédrale de Rouen, le portail et la tour Saint-Romain : effet du matin, harmonie blanche*, 1892-1894, h./t., 106 x 75 cm. Musée d'Orsay.
112d *La Cathédrale de Rouen : effet du soleil, fin de journée*, 1892, h./t., 100 x 65 cm. Musée Marmottan.
113g *La Cathédrale de Rouen : soleil matinal, harmonie bleue*, 1894, h./t., 91 x 63 cm. Musée d'Orsay, Paris.
113d *La Cathédrale de Rouen : symphonie en gris et rose*, 1894, h./t., 100 x 65 cm. National Museum of Wales, Cardiff.
114/115h Titre du journal *Le Gaulois* du 16 juin 1898.
115hd *La Maison du pêcheur, Varengeville*, 1882, huile sur bois, 60 x 78 cm. Musée Boymans-van Beuningen, Rotterdam.
115b *Falaise à Varengeville*, 1897, h./t., 65 x 92 cm. Musée des Beaux-Arts, Le Havre.
116 *Londres, le Parlement; trouée de soleil dans le brouillard*, 1904, h./t., 81 x 92 cm. Musée d'Orsay, Paris.
116/117 Liste des vues de la Tamise à Londres de 1900 à 1904, manuscrit autographe de Claude Monet, Archives Durand-Ruel, Paris.
117 *Londres, le Parlement; ciel orageux*, 1904, h./t., 81 x 92 cm. Musée des Beaux-Arts, Lille.
118h Croquis du palais Dario, s.d., crayon sur papier. Musée Marmottan, Paris.
118b Couverture de l'album «Venise» de Claude Monet, galerie Bernheim-Jeune et Cie, 1912.
119 *Le Palais des Doges vu de San Giorgo Maggiore*, 1908, h./t., 65,4 x 92,7 cm. The Metropolitan Museum of Art, Gift of Mr. et Mrs Charles S. Mc Veigh, 1959.

CHAPITRE VII

120 *Nymphéas, paysage d'eau*, 1907, h./t., 100,5 x 73,4 cm. Bridgestone Museum of Art, Ishibashi Fondation, Tokyo.
121 Monet à Giverny, photographie de Sacha Guitry.
122g *Le Bassin aux nymphéas; harmonie rose*, 1900, h./t., 89,5 x 100 cm. Musée d'Orsay, Paris.
122d Le bassin aux nymphéas à Giverny, détail d'un autochrome de Clémentel, vers 1917, *idem.*
123 h *Le Pont japonais*, v. 1922-1923, h./t., 89,5 x 116,5 cm. Minneapolis Society of Fine Arts, Minnesota.
123b *Nymphéas*, 1907, h./t., diamètre 80 cm. Musée d'Art moderne de Saint-Etienne.
124g Extrait du catalogue de l'exposition «Les Nymphéas, Séries de paysages d'eau», 1909, galerie Durand-Ruel. Archives Durand-Ruel, Paris.
124d *Portrait de l'artiste*, 1917, h./t., 70 x 55 cm. Musée d'Orsay, Paris.
125g Croquis de fleur (mauve pâle) extrait des carnets de croquis de Claude Monet. Musée Marmottan.
125d Liste de noms de fleurs, manuscrit autographe de Claude Monet extrait des carnet de croquis, *idem.*
126/127 Claude Monet dans son dernier atelier à Giverny, photographie de Henri Manuel, vers 1920, Archives Durand-Ruel, Paris.
128 et dépliants Panneaux des *Nymphéas* du musée de l'Orangerie : recto *Matin* (n° 1, partie gauche et centrale), v. 1916-1926, chaque panneau 200 x 425 cm. Salle 2, mur Nord; verso *Les Nuages* (partie droite), v.1916-1926, Salle 1, mur Nord.

TEMOIGNAGES ET DOCUMENTS

129 Signature de Claude Monet.
130 Extrait du carnet

d'adresses de Claude Monet, manuscrit autographe, s.d.. Musée Marmottan.
132 Frédéric Bazille, photographie, s.d.
133 Edouard Manet, photographie de Carjat, vers 1880.
134 Berthe Morisot dans son atelier, photographie, s.d., *idem.*
135 Cézanne devant son tableau les *Grandes Baigneuses* (détail), photographie d'Emile Bernard, 1904, *idem.*
136 Camille Pissarro, Autoportrait, dessin. Bibl. nat., Paris.
138 Monet avec deux amis dans son jardin de Giverny, photographie, s.d. Musée Marmottan.
139 Frédéric Bazille, *Portrait d'Auguste Renoir*, huile sur toile, 1867. Musée d'Orsay.
141 Wassili Kandinsky à Munich, photographie, vers 1913. Musée national d'Art moderne, Paris.
144 Emile Zola, photographie, s.d.
146 Guy de Maupassant, photographie de Nadar, vers 1890, *idem.*
148 Octave Mirbeau, photographie du studio Reutlinger, vers 1900, *idem.*
149 Clemenceau et Monet à Giverny (interprétés par Jean Périer et Sacha Guitry), scène tirée de la pièce de Sacha Guitry *Histoire de France*, couverture de *Vu*, 16 octobre 1929.
152 Monet retouchant un tableau dans son atelier, photographie, 1920. Musée d'Orsay.
154 Monet en compagnie d'Anna Bergman et de Jacques Hoschedé dans son second atelier, photographie, 1900, coll. Philippe Piguet.
156 g Clemenceau, Monet et Lily Butler sur le pont japonais du jardin de Giverny, photographie, juin 1921. Coll. J.-M. Toulgouat.
156/157 Réunion de famille à Giverny, photographie, fin du XIXe siècle. *Idem.*
158 Le jardin de Giverny, photographie, fin du XIXe siècle.
159 Menu du déjeuner de mariage de Germaine Hoschedé, 12 novembre 1902, manuscrit autographe de Claude Monet, coll. J.- M. Toulgouat.
160 Monet et Gustave Geffroy à Giverny, photographie de Sacha Guitry, vers 1920.
160 Le bassin aux nymphéas, photographie, vers 1895.
162 Monet peignant les panneaux des Nymphéas à Giverny, photographie, 1920.
164hg Georges Clemenceau, photographie de Henri Manuel, vers 1900.
164/165 Plan du musée de l'Orangerie, mai 1927. Archives nationales, Paris.
165 Salle du musée de l'Orangerie, avec les *Nymphéas* de Claude Monet, photographie, 1930.
166/167 Les premiers visiteurs des salles des *Nymphéas* au musée de l'Orangerie, photographie, 1930.

INDEX

A - B

C

D - E

CRÉDITS PHOTOGRAPHIQUES

AP.N., Paris 21h, 36hd, 57h. Archiv für Kunst und Geschichte, Berlin 115hd. Archives Durand-Ruel, Paris 78b, 79h, 79b, 80/81b, 83, 101, 116/117, 124g, 126/127. Archives Nationales, Paris 164/165. Archives Tallandier, Paris 65h. Artephot/Bridgeman 74h. Artephot/Held 44h, 44b. Art Institute of Chicago 12, 25b, 46/47, 47b, 81, 102, 103g, 104h, 104b, 105h, 105b, 106/107. Bildarchiv preussicher Kulturbesitz, Berlin 55h. Bridgeman Art Gallery, Londres 23g, 23d, 37, 123h. Bridgestone Museum of Art, Ishibashi Foundation, Tokyo 120. Bulloz, Paris 92, 158, 161. Centre Georges Pompidou, Musée national d'Art moderne, fonds Kandinsky, Paris 139. J.-L. Charmet, Paris 35, 38b, 67, 138, 149. Coll. part., France 60, 100. Coll. part., New York 91b. Coll. Philippe Piguet 154. Coll. Sirot/Angel, Paris 15g, 54, 64g, 74b, 84hg, 85bg, 91h, 121, 133, 134, 135, 144, 146, 148, 164hg. Coll. Jean-Marie Toulgouat 13, 156g, 156/157, 159. D.R. 16h, 17h, 17b, 18b, 38h, 38/39, 50h, 71h, 75d, 88h, 94h, 94bg, 99b, 114/115h. Edimedia, Paris 90g et d, 136. Ellebé, Rouen 66. Fogg Art Museum, Harvard University Art Museums, Cambridge 61hg. Galerie Bernheim-Jeune, Paris 53, 118b. Giraudon/Lauros 117. Giraudon/Musée des Beaux-Arts du Havre 115b. Giraudon/Musée du Petit Palais, Paris 75g. L'Illustration/Sygma, Paris 6, 8. © Bruno Jarret par ADAGP et © Musée Rodin, Paris 89. Kunsthaus, Zurich, Association des amis de l'art zurichois 80. Metropolitan Museum of Art, New York 24, 26/27, 30h, 42h, 59, 119. Musée d'Art Moderne de Saint-Etienne/Yves Bresson 123b. Musée des Beaux-Arts de Lyon 77, 78h. Musée municipal de Honfleur 16b. Musée Rodin, Paris 94/95. Musée d'Unterlinden/O. Zimmermann, Colmar 93b. Museum of Fine Arts, Boston 58, 108b, 109b. National Gallery of Art, Washington 1er plat, 42bg, 76, 99hd. National Museum of Wales, Cardiff 113d. Nelson-Atkins Museum of Art, Kansas City 56. Philadelphia Museum of Art 33h, 49, 110/111. Réunion des Musées nationaux, Paris Dos, 1hg, 1bg, 1bd, 2, 3, 4, 5, 9, 11, 18h, 19, 20d, 21b, 22, 25h, 28, 29bg, 32h, 32/33, 34, 36hg, 36b, 40/41, 45, 52, 55b, 57b, 62/63, 64/65, 68, 69h, 70h, 70/71, 72, 73, 82, 95h, 97, 98, 99hg, 108h, 109h, 112g, 113g, 116, 122g, 122d, 124d, 128 recto et verso, 139, 152. Roger-Viollet 132. Roger-Viollet/Cap 69b. Roger-Viollet/Harlingue 160, 162, 165, 166/167. Roger-Viollet/ND 88b. Santa Barbara Museum of Art 84hd, 85h. Sipa Archives, Paris 30/31. Statens Konstmuseer, Stockholm 30b. Sterling and Francine Clark Art Institute, Williamstown 86h et b. Studio Lourmel 77, Jean-Michel Routhier 4e plat, 1hd, 7, 14h, 14b, 15d, 20/21, 39, 42bd, 43h, 43b, 61hd, 61b, 84b, 86/87, 93h, 96h, 96b, 103d, 112d, 114, 118h, 125g, 125d, 130. Wadsworth Ateneum, Hartford 47h.

REMERCIEMENTS

L'auteur remercie tout particulièrement Marianne Delafond (musée Marmottan), Caroline Durand-Ruel Godfroy (Archives Durand-Ruel), Françoise Heilbrun (conservateur au musée d'Orsay), Jacqueline Henry (Documentation), Michel Hoog (conservateur général chargé du musée de l'Orangerie), Philippe Piguet, Claire Joyes et Jean-Marie Toulgouat (photographies anciennes), la Fondation Wildenstein, le Service photographique de la RMN, Gérard Patin, pour l'aide apportée au cours de la réalisation de cet ouvrage.
L'éditeur remercie la galerie Bernheim-Jeune et la galerie Durand-Ruel, à Paris, Claire Joyes et Jean-Marie Toulgouat, Philippe Piguet pour leur précieuse collaboration.

COLLABORATEURS EXTÉRIEURS

Perrine Cambournac a assuré le suivi rédactionnel de cet ouvrage.Vincent Lever a réalisé la maquette. Any-Claude Médioni a effectué la recherche iconographique.